CONSPIRATION
365

Gabrielle Lord

Traduit de l'anglais par Ariane Bataille

Couverture : La cidule*grafic/Nathalie Arnau.

Suivi de la série : Claire Billaud et Guylain Desnoues.

ISBN 978-2-7002-3767-2
ISSN 1772-5771

Cet ouvrage a d'abord paru sous le titre
Conspiracy 365 : November
chez Scholastic Australia Pty Limited en 2010.
Cette édition est publiée avec l'accord de
Scholastic Australia Pty Limited.

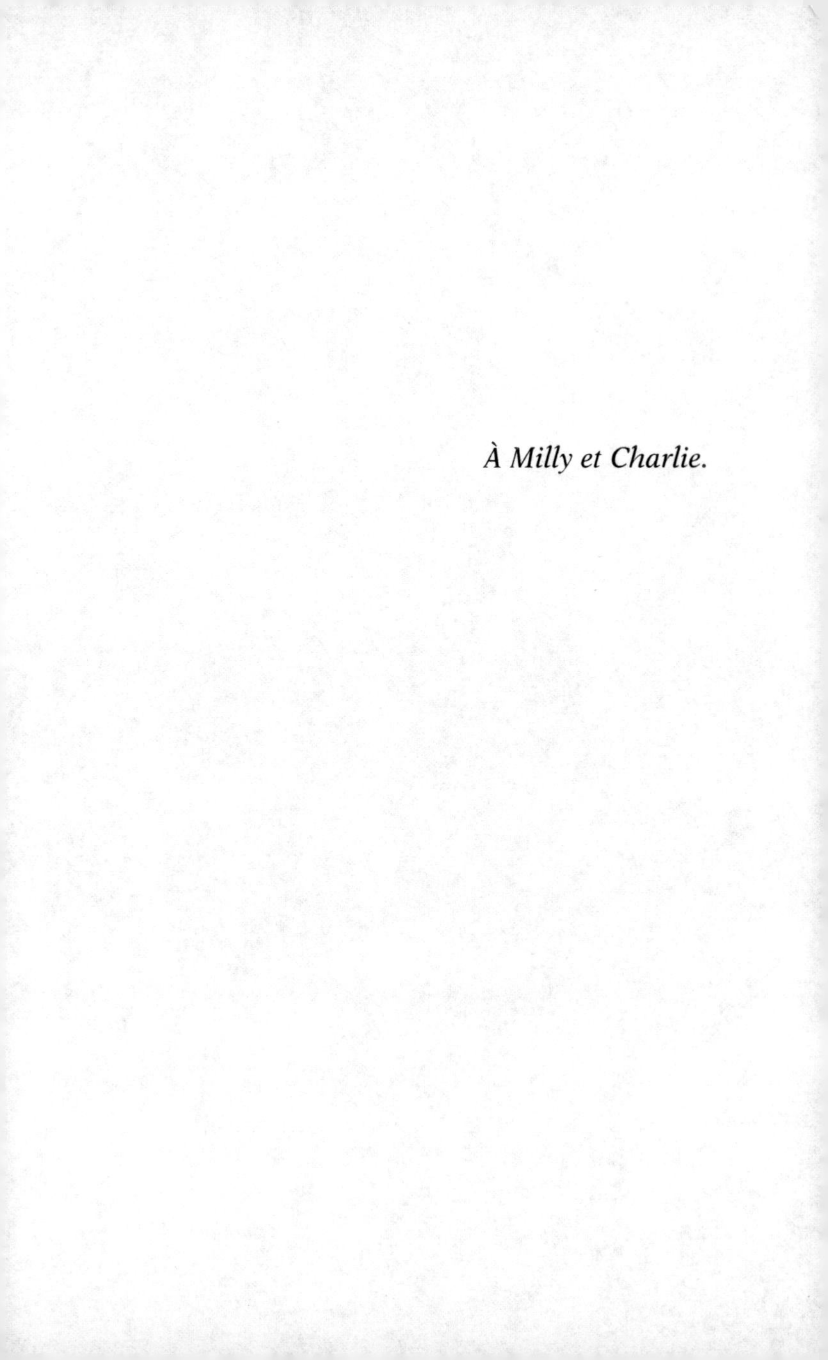

À Milly et Charlie.

Je m'appelle Cal Ormond,
j'ai seize ans,
je suis un fugitif...

Les personnages de mon histoire...

Ma famille : les Ormond

• **Tom** : mon père. Mort d'une maladie inconnue, il a emporté dans la tombe le secret de notre famille qu'il avait découvert en Irlande. Il m'appartient désormais de percer le mystère de la Singularité Ormond grâce aux dessins qu'il m'a légués.

• **Erin** : ma mère. Elle croit que j'ai agressé mon oncle et que j'ai enlevé ma sœur. J'aimerais tant lui prouver mon innocence ! Sa personnalité a évolué, elle est constamment apathique. Je m'inquiète pour elle.

• **Gaby** : ma petite sœur, 9 ans. Elle est ce que j'ai de plus cher au monde. Après son enlèvement commandité par Oriana de Witt, elle a retrouvé ma mère et Ralf.

• **Ralf :** mon oncle. Il est le frère jumeau de mon père. Dérouté par son attitude depuis la disparition de ce dernier, je ne peux m'empêcher de me méfier de lui. Il s'est rapproché de ma mère à tel point qu'il a failli l'épouser.

• **Bartholomé :** mon grand-oncle. Il a transmis sa passion de l'aviation à mon père. Quand je me suis réfugié auprès de lui dans sa propriété de Kilkenny, il m'a livré de précieux renseignements sur notre famille. Sa mort m'a beaucoup affecté.

• **Emily :** ma grand-tante, sœur de Bartholomé. J'ai récupéré ses documents sur la généalogie des Ormond au couvent de Manressa.

• **Piers :** un jeune homme mort au combat en 1918 pendant la première guerre mondiale. Un vitrail du mausolée de Memorial Park le représente sous les traits de l'ange dessiné par mon père. Lui aussi menait des recherches sur la Singularité Ormond. Je détiens désormais son testament.

• **Black Tom Butler :** dixième comte d'Ormond et cousin de la reine Elizabeth Ière.

Elle lui aurait offert le Joyau Ormond pour le remercier de ses loyaux services. Certains pensent qu'il est l'auteur de l'Énigme Ormond.

Les autres

• **Boris** : mon meilleur ami depuis l'école maternelle. Passionné par le bricolage, très ingénieux, c'est un pro de l'informatique. Il est toujours là quand j'ai besoin de lui.

• **Le fou** : je l'ai rencontré la veille du nouvel an. Il m'a parlé le premier de la Singularité Ormond et conseillé de me cacher 365 jours pour survivre.

• **Nelson Sharkey** : cet ancien inspecteur de police m'apporte régulièrement son aide.

• **Dep** : le « Dépravé » est un marginal qui m'a sauvé la vie et hébergé dans son repaire secret. Expert en arts martiaux et en coffres-forts, il m'a rendu service plus d'une fois.

• **Oriana de Witt** : célèbre avocate criminaliste à la tête d'une bande de gangsters. Son coffre-fort à la Zürich Bank ne renfermait en réalité que des copies de l'Énigme et du Joyau Ormond. Elle se trouve en mauvaise posture, d'autant qu'un de ses employés – sans doute Kevin – l'accuse désormais d'avoir enlevé ma petite sœur.

• **Drake Bones** : notaire des Ormond et représentant légal d'Oriana de Witt. Il m'a remis le testament de Piers Ormond en échange de mon silence sur ses malversations financières. Je me méfie de lui car il semble s'intéresser de près à la Singularité Ormond.

• **Kevin :** jeune homme à la solde d'Oriana de Witt. Il a une larme tatouée sous l'œil. Ne pouvant se résoudre à me tuer de sang-froid, il m'a abandonné dans la Dingo[1] Valley. Il a toutefois inscrit le code du coffre-fort de sa patronne sur ma cheville.

• **Sumo :** homme de main d'Oriana de Witt taillé comme un lutteur japonais. Son vrai prénom est Cyril.

• **Vulkan Sligo :** truand notoire, chef d'une bande de malfrats. Il souhaite lui aussi percer le secret de la Singularité Ormond et me pourchasse sans relâche. Il a falsifié le testament des parents de mon amie Winter pour s'accaparer leur fortune.

• **Gilet Rouge :** le surnom que j'ai donné à Bruno, l'un des hommes de main de Vulkan Sligo, car il en porte toujours un.

• **Zombrovski :** surnommé Zombie, ce complice de Vulkan Sligo a fait une chute mortelle du clocher de Manressa.

• **Zombie 2 :** frère aîné de Zombrovski, encore plus costaud que lui. Il est déterminé à venger la mort de son cadet.

• **Murray Durham :** dit Coupe-orteils, célèbre parrain de la mafia.

• **Winter Frey :** jeune fille belle et étrange. Après la mort suspecte de ses parents dans un accident de voiture, Vulkan Sligo est devenu son tuteur.

1. Le dingo est un chien sauvage d'Australie.

Elle représente pour moi un constant soutien et je lui accorde désormais toute ma confiance. Elle doit percer le mystère de sa propre famille et je suis déterminé à l'y aider.

• **Ryan Spencer :** je connais enfin le nom de mon sosie. Je soupçonne ce garçon qui me ressemble comme deux gouttes d'eau d'être mon frère jumeau.

• **Erik Blair :** un collègue de mon père. Il se trouvait en Irlande avec lui et pourrait détenir des renseignements sur son secret.

• **Pr Theophile Brinsley :** conservateur des livres rares du Trinity College de Dublin. Il m'a contacté sur mon blog, m'incitant à lui rendre visite en Irlande. Il est prêt à me révéler des informations précieuses concernant l'Énigme Ormond.

• **Griff Kirby :** fugueur de mon âge. Il traîne avec des voyous. Je me méfie de lui.

• **Dr Maggot :** indic inquiétant, expert en champignons mortels.

• **Snake et Jacko :** vieux chercheurs d'or de la Dingo Valley qui ont tenté de me livrer à la police pour toucher une récompense.

Ce qui m'est arrivé le mois dernier...

1er octobre

En plein désert, les deux chercheurs d'or Snake et Jacko lancent leur molosse à mes trousses. Je plonge dans un buisson d'épineux en espérant dissuader le chien limier de me suivre. Pétrifié, je le vois foncer sur moi. Par chance, il se contente de me lécher la figure avant de se sauver et d'entraîner ses maîtres au loin.

De retour en ville, je téléphone à Boris. Bonne nouvelle : Winter a réussi à préserver le sac à main qui porte les empreintes d'Oriana de Witt. Mon plan pour nous emparer de l'Énigme et du Joyau Ormond à l'intérieur de la salle des coffres de la Zürich Bank prend forme peu à peu.

2 octobre

Boris travaille d'arrache-pied à la reproduction de l'empreinte digitale de l'avocate grâce à laquelle nous comptons duper le scanner biométrique de la banque.

Il a transformé le studio de Winter en laboratoire de chimie ! Mais malgré tous nos efforts, il nous manque encore le code secret de son coffre-fort.

4 octobre

Drake Bones, le notaire, détient le testament de Piers Ormond. Afin de récupérer ce précieux document, j'ai l'idée de le faire chanter. Je demande conseil à Nelson Sharkey, qui me suggère d'espionner ses faits et gestes.

8 octobre

La télévision annonce qu'Oriana de Witt est accusée de l'enlèvement de Gaby. Winter soupçonne Kevin d'avoir dénoncé sa patronne.

Boris obtient l'adresse personnelle de Drake Bones. Nous commençons à mettre en place notre opération de surveillance.

11 octobre

Winter et moi surprenons le notaire alors qu'il procède à un curieux échange de mallettes dans un restaurant. Nous le suivons jusque chez lui. Au milieu de la nuit, il déterre dans son jardin un coffre en bois où il transfère les milliers de dollars que renfermait la fameuse mallette ! Nous le photographions en pleine action avant de décamper sans demander notre reste.

12 octobre

Depuis une boîte mail anonyme, Boris envoie les clichés compromettants à Bones.

13 octobre

Je téléphone au notaire et lui fixe un rendez-vous nocturne au cimetière de Crokwood, où il devra me fournir le testament de Piers Ormond en échange de ma discrétion sur ses affaires louches. Boris et Winter m'accompagnent pour protéger ma vie.

Après m'avoir remis le document, Bones cherche à me convaincre de changer d'identité et de disparaître. Sans succès.

Jamais je n'abandonnerai l'enquête commencée par mon père.

14 octobre

Le testament de Piers Ormond stipule que si la Singularité Ormond n'est pas revendiquée par son propriétaire légitime avant le 31 décembre de cette année, elle reviendra à la Couronne. Cette date semble corroborer les imprécations que le fou m'avait hurlées dans la rue.

17 octobre

Je tombe par hasard sur Dep, qui sollicite mon aide pour déménager ses affaires. Nous passons la moitié de la nuit à effectuer des allers et retours sur un lac souterrain, avec une barque, pour transporter ses cartons dans son nouveau repaire, une caverne.

Mon ami remarque l'inscription apparue mystérieusement sur ma cheville en plein désert, dans la Dingo Valley. Il m'apprend qu'il s'agit d'un numéro de coffre-fort. Je détiens enfin le code secret d'Oriana de Witt !

20 octobre

Winter et Boris perfectionnent leur apparence et leurs costumes pour usurper l'identité de l'avocate et de Sumo.

Nous peaufinons les derniers détails de notre raid sur la Zürich Bank.

21 octobre

Déguisée en Oriana de Witt, l'empreinte de celle-ci enfilée sur un doigt, Winter pénètre dans la banque en compagnie de Boris interprétant Sumo. Le plan se déroule sans accroc jusqu'à l'apparition de la véritable avocate et de son homme de main !

Heureusement Winter et Boris parviennent à ressortir de l'établissement in extremis avec le précieux paquet.

En l'ouvrant, nous découvrons que le coffre de l'avocate ne renfermait que des copies grossières... Quelqu'un s'est emparé du Joyau et de l'Énigme Ormond !

Mais qui ?

23 octobre

Ralf, ma mère et Gaby passent quelques jours à la baie des Lames. Boris et moi en profitons pour fouiller la maison.

Je réunis deux ou trois éléments intéressants, mais je suis surtout stupéfait de trouver les affaires de ma mère dans la chambre de Ralf. Ils sont devenus beaucoup plus proches que je ne l'imaginais.

Ce constat me met mal à l'aise.

24 octobre

Vulkan Sligo organise un banquet à la faveur duquel il pense s'attirer les bonnes grâces d'Oriana de Witt.

Winter accepte de le seconder, dans l'espoir de glaner des informations sur le DMO, le Dangereux Mystère Ormond.

Cachés dans une cabane attenante à la piscine, Boris et moi recevons les images du dîner grâce à une caméra miniature dissimulée dans le collier de Winter, notre espionne. Parmi les invités, nous repérons Drake Bones et Murray Durham, le célèbre mafieux.

Une violente dispute éclate entre Oriana de Witt et Sligo à propos de l'Énigme et du Joyau Ormond. Nous comprenons que ni l'un ni l'autre ne les possèdent !

Sligo interrompt brusquement la soirée lorsqu'il apprend que sa résidence est sur écoute.

25 octobre

En fouillant le bureau de Drake Bones, j'actionne par hasard le mécanisme d'un tiroir secret qui renferme un dossier très épais sur ma famille. Je découvre également des documents sur la famille de Winter.

Leur contenu prouve à mon amie que ses parents ne l'ont pas déshéritée. Tout indique que Sligo a falsifié leur testament en sa faveur.

Boris m'avoue avec embarras que ma mère doit épouser Ralf le 31 octobre dans la chapelle de Whitecliff. J'apprends aussi, par le Dr Maggot, qu'un tueur à gages est chargé d'éliminer mon oncle pendant le mariage.

31 octobre

J'arrive tôt à la chapelle pour me dissimuler dans la tribune, près de l'orgue.

Alors que la cérémonie touche à sa fin, un homme armé surgit de l'ombre. Je me jette dans la nef et utilise la poudre magique de Boris. Elle déclenche la panique au sein de l'assistance, qui se précipite dehors en hurlant.

Je me sauve à toutes jambes, mais les policiers me prennent en chasse avec le renfort d'un hélicoptère. Très vite, ils m'encerclent. Je lance la capsule de poudre d'enfer, la nouvelle invention de Boris, mon ultime chance. Raté ! Elle ne fonctionne pas. Je me retrouve piégé !

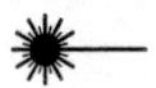

NOVEMBRE

1er novembre
J –61

Whitecliff
Australie

00:00

Les policiers se rapprochaient de moi. Déployés en deux arcs de cercle, ils avançaient lentement. En dépit des apparences, je refusais d'admettre que ma fuite spectaculaire s'achèverait ici... dans un cul-de-sac.

Haletant, à bout de souffle, j'ai fixé désespérément la capsule inerte de poudre d'enfer sur laquelle la lune se reflétait. Un instant, j'ai cru la voir frémir, cependant je ne l'aurais pas juré.

Soudain, un mur aveuglant de flammes blanches a jailli tel un geyser de la route tandis qu'une déflagration assourdissante retentissait, manquant me faire éclater les tympans.

Une barrière infranchissable de feu venait de se dresser devant moi !

À quatre pattes sur le sol, je percevais les cris étouffés des policiers et des membres de la brigade du SWAT[1], renversés eux aussi par le souffle de l'explosion.

Quelques secondes plus tard, une pluie de terre et de cailloux s'est abattue sur moi, m'obligeant à me protéger la tête avec les mains. Malgré mon état de choc, j'avais une certitude : la poudre d'enfer avait fini par remplir sa mission ! Boris était un génie...

00:06

La lumière crue du brasier s'atténuait progressivement. D'épaisses colonnes de fumée noire s'élevaient à présent en tourbillons dans le ciel de la nuit. Un nuage de poussière en suspension m'obligeait à garder la bouche fermée et les yeux plissés.

De leur côté, complètement désorientés, les policiers hagards trébuchaient les uns sur les autres, s'invectivaient et me maudissaient.

Reprenant tout à fait mes esprits, j'ai tenté de repérer l'hélicoptère. Un faisceau grisâtre balayait la zone au hasard. Perturbé par l'action de la poudre d'enfer, le puissant projecteur avait

1. Acronyme de « Special Weapons And Tactics », qui désigne les brigades d'intervention spécialisées de la police.

perdu ma trace. C'était le moment ou jamais d'en profiter.

Je me suis éloigné à l'aveuglette de l'écran de brouillard à travers lequel je devinais des silhouettes titubant dans la rue. En chemin, j'ai failli heurter de plein fouet deux ou trois troncs d'arbres.

Enfin, malgré les larmes qui me brouillaient encore la vue, j'ai distingué peu à peu les éclats ternis des gyrophares de la police qui, perdus dans la brume, me parvenaient avec un effet stroboscopique.

– Déployez-vous ! Il ne peut pas être loin ! a crié un homme à quelques mètres de moi.

En dépit des sifflements persistants qui m'assourdissaient, je l'ai parfaitement entendu. Replongeant aussitôt à quatre pattes, je me suis mis à ramper en priant pour que le nuage de poussière stagne au ras du sol et me permette de distancer mes poursuivants. Le trottoir dessinait une courbe prononcée vers la droite, que j'ai suivie.

Mais plus je m'écartais de la rue principale, plus mon camouflage perdait son efficacité. Un rapide coup d'œil par-dessus mon épaule m'a révélé que les dernières fumées de la poudre d'enfer se dissipaient dangereusement. Je commençais même à apercevoir des lueurs se disperser en éventail, preuve que la police était sur mes talons.

– Le voilà ! a hurlé une voix. Là-bas ! Il tourne dans cette ruelle. Ne le laissez pas s'échapper !

Les rayons des lampes torches qui zébraient l'obscurité se sont précisés. Je n'avais plus le choix. Je me suis redressé pour dévaler la ruelle à fond de train, poursuivi par le martèlement de dizaines de paires de bottes. Sans la protection de la fumée, je ne pouvais plus compter désormais que sur les ténèbres.

Au-dessus de ma tête, le projecteur de l'hélicoptère balayait à nouveau le sol à ma recherche. Un deuxième hélicoptère est arrivé en renfort. Paniqué, j'ai levé les yeux et reconnu sur son flanc le logo d'une chaîne de télévision. Les médias s'invitaient à la fête. Tels des vautours, ils guettaient l'occasion de se jeter sur leur proie sans défense.

Je refusais d'endosser ce rôle.

J'ai escaladé une clôture qui barrait ma course et atterri dans un jardin. En me ruant vers le côté de la maison, je me suis pris le pied dans un tuyau d'arrosage. Sans la branche d'un arbre à laquelle je me suis rattrapé in extremis, je me fracassais la tête contre le mur.

Je reprenais à peine mon équilibre quand j'ai senti le tronc vibrer ! Brusquement, des couinements ont déchiré l'air de la nuit et une nuée d'ailes noires s'est agitée autour de moi.

Des chauves-souris ! Une colonie entière de chauves-souris !

Les bras repliés devant la figure pour me protéger, j'ai reculé d'un bond tandis qu'elles s'envolaient à grand renfort de cris suraigus. Puis, le cœur battant à deux cents à l'heure, j'ai franchi le portillon qui donnait sur la façade de la propriété, dévalé l'allée et traversé la rue en trois enjambées pour me réfugier dans le jardin d'une autre villa. J'ai longé la terrasse, un barbecue, sauté une clôture et atterri sur une pelouse sans arbres ni bosquets – pas vraiment le lieu idéal pour un fugitif. Plaqué contre une barrière, j'ai contourné cet espace à découvert. L'obscurité n'était pas suffisante pour me dissimuler. Je devais trouver un abri plus sûr.

Les hélicoptères arrivaient déjà au-dessus de moi. Et dans la rue, les sirènes de la police se rapprochaient. Une brèche dans la clôture a attiré mon regard. Je m'y suis aussitôt faufilé, sans me soucier des barbelés qui lacéraient mes vêtements. Puis j'ai foncé comme un dératé jusqu'à une autre rue.

Épuisé, je ne savais plus quoi faire. Le rythme saccadé des pales des hélicoptères qui résonnait à l'intérieur de mon crâne me poussait à fuir toujours plus loin.

Jamais je n'échapperais à tous les policiers. Me cacher dans une remise ou un jardin ne servirait à rien. Il leur suffirait de fouiller les habitations une par une pour me débusquer. Ma seule chance : continuer à courir – et vite.

J'ai foncé vers une voie en pente douce bordée, des deux côtés, de vieilles maisons mitoyennes. L'hélicoptère aurait plus de mal à me repérer à cause des auvents sous lesquels je comptais me réfugier. Mais rien n'empêcherait les policiers à pied de me localiser.

00:51

Les sirènes me cernaient. Je ne tiendrais plus très longtemps. Chaque fois que je croyais avoir distancé l'hélicoptère, il resurgissait dans le ciel nocturne.

Pour l'instant, il se maintenait au-dessus de ma tête. Le rayon de son projecteur balayait toujours le sol. Les turbulences engendrées par ses rotors assourdissants aplatissaient les herbes, fouettaient mes cheveux. De toutes parts me provenaient les crissements de pneus des voitures de patrouille.

Zigzaguant avec nervosité, j'étais à l'affût d'une issue.

À présent, je reconnaissais le quartier où je me trouvais. La Gare Centrale n'était plus très loin. J'ai serré les dents et espéré de toutes mes forces que mes muscles à l'agonie me soutiennent encore un peu. Il me fallait absolument semer les policiers.

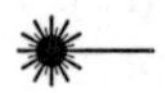

Quartier de la Gare Centrale
Richmond

01:12

J'ai filé le long des terrains de basket et remonté aussi vite que possible la rampe d'accès à la gare.

Sidérés, les rares voyageurs encore présents s'écartaient de mon chemin, sans doute impressionnés par la détermination qu'ils lisaient dans mes yeux.

Je n'entendais plus l'hélicoptère, en revanche le martèlement des bottes continuait à résonner à mes oreilles.

En outre quelqu'un courait après moi, d'une foulée beaucoup plus rapide. Du coin de l'œil, j'ai aperçu une silhouette sur le point de me rattraper. Elle ne portait pas d'uniforme. Un policier en civil ? Si j'échouais à me débarrasser de lui, j'étais fait comme un rat.

Chaque pas torturait mon corps exténué qui criait grâce, mais mon poursuivant me talonnait toujours.

Soudain, il a hurlé mon nom. D'un rapide coup d'œil par-dessus mon épaule, j'ai évalué son gabarit, à peu près le même que le mien. Je n'avais plus qu'une solution : l'affronter et dépenser le peu d'énergie qui me restait à le combattre.

– Cal, arrête ! C'est moi !

Sans savoir pourquoi, j'ai trouvé à cette voix un accent familier.

– Cal ! Ce n'est que moi !

Les poings serrés, je me suis retourné.

Je n'en croyais pas mes yeux.

– Ryan ?

Ryan Spencer a pilé à ma hauteur. Le visage que je connaissais si bien m'a considéré en souriant. Essoufflé, il a lancé :

– Tu es super rapide. J'ai cru que je ne te rattraperais jamais. Je t'ai vu aux actus sur mon portable. Quand j'ai reconnu le coin, je me suis dit que, pour une fois, je pourrais te donner un coup de main au lieu de t'éviter.

Je n'en revenais pas d'entendre ma voix sortir de la bouche de cet adolescent.

J'avais l'impression de contempler mon propre portrait, à part certains légers détails.

Pourquoi Ryan voulait-il soudain être mon allié ? Au moment où j'allais me remettre à courir, méfiant vis-à-vis de ce revirement inattendu, il m'a agrippé le bras. Je me suis débattu comme un fou.

– Lâche-moi ! Fiche-moi la paix !

– Du calme ! Je veux seulement t'aider, a-t-il protesté.

– Il faut que je file avant que les flics me rattrapent !

Sans ajouter un mot, il m'a tiré dans un renfoncement. Les muscles tétanisés, les poumons en feu, je n'avais plus la force de résister.

– Souffle une minute. L'hélicoptère n'a aucune chance de te repérer ici.

– Que-que-que fais-tu là ? ai-je coassé.

J'avais beaucoup d'autres questions à lui poser, mais elles attendraient un moment plus favorable.

– Ce n'est pas une nuit pour taguer, avec toute la police de la ville sur les dents qui patrouille. Je ne cherche pas les ennuis.

– Tu sais où je pourrais me cacher ?

– J'ai une meilleure idée. Rien ne vaut une course de relais, Cal.

– Une course de relais ?

– Passe-moi le flambeau, brother !

Avant que je comprenne sa remarque, il s'est débarrassé de sa chemise à carreaux et a pris ma veste.

– Vite, change-toi. On n'a pas beaucoup de temps, m'a-t-il pressé en enfilant ma veste par-dessus son tee-shirt. Je te remplace.

– Mais, s'ils te capturent...

– T'inquiète ! Je leur filerai entre les doigts. Allez, speede.

Il m'a tendu sa casquette avant d'ajouter :

– De toute façon, même en admettant qu'ils me coincent, ils n'ont rien à reprocher à Ryan Spencer. Je ne suis pas un fugitif en cavale, moi !

Sidéré, j'ai boutonné la chemise qu'il m'avait donnée tandis qu'il remontait le col de ma veste. Il s'est tourné vers moi.

– Souhaite-moi bonne chance, Cal. Je vais les entraîner le plus loin possible. L'année dernière, j'ai remporté le cross de mon lycée, je suis du genre endurant.

Étrange ! Moi aussi j'étais bon en course de fond... mais je n'ai pas eu le temps de le lui dire, il sortait déjà du renfoncement, m'adressait un signe de tête et se sauvait en piquant un sprint.

Comme le bruit de ses pas s'évanouissait, les sirènes se sont remises à hurler : les policiers venaient sans doute de voir mon sosie surgir hors de la gare.

Je me suis plaqué contre le mur, retenant ma respiration, quand la brigade du SWAT est passée en trombe devant ma cachette à la poursuite de sa cible.

Aucun doute, le subterfuge avait réussi !

01:28

J'ai risqué un œil au-dehors. Le puissant projecteur de l'hélicoptère ratissait encore la ville, juste de l'autre côté de la gare. J'ai patienté une dizaine de minutes avant de m'aventurer, avec la plus grande prudence, vers les terrains de basket et de me hisser au sommet du grillage.

Depuis mon poste d'observation, j'ai aperçu au loin, en plein milieu du cercle de lumière sous l'hélicoptère, la silhouette de Ryan qui galopait toujours.

Le vrombissement de la chasse au fugitif s'est estompé au fur et à mesure que ma doublure entraînait ses poursuivants toujours plus loin. Autour de moi, la nuit a recouvré ses bruits habituels. J'ai fini par lâcher prise et me glisser souplement jusqu'au sol.

Ryan m'offrait un sursis.

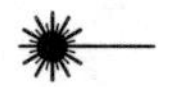

12 Lesley Street

03:20

J'ai emprunté l'escalier qui menait à l'appartement de Winter d'un pas aussi traînant que si j'avais cent ans. Je devais une fière chandelle à Ryan Spencer, mais il me laissait avec des questions plein la tête.

Nous nous ressemblions comme deux gouttes d'eau, il était forcément mon frère jumeau, cependant je n'y comprenais rien. Comme je l'avais remarqué sur sa carte de bus, son anniversaire tombait en novembre. Nous n'étions pas nés le même jour. Nous n'avions pas la même mère... c'était donc impossible. Et pourquoi lui, qui m'avait toujours fui par le passé, avait-il subitement décidé de voler à mon secours ?

Enfin parvenu sur le toit terrasse, j'ai constaté que le studio n'était pas totalement plongé dans l'obscurité. Derrière la vitre, on devinait la lueur de la télévision.

J'ai frappé doucement à la porte.

– Winter ? C'est moi.

Il m'a semblé percevoir un hoquet de surprise.

– Winter ? Ouvre-moi.

Un objet est tombé par terre. Des pas précipités se sont approchés.

La porte s'est entrebâillée, et Winter a braqué sur moi son regard charbonneux.

Elle avait l'air hébété de quelqu'un qui se réveille. Peut-être s'était-elle endormie sur le canapé. Elle a reculé sans me quitter des yeux, au ralenti, comme si elle contemplait un fantôme.

– Comment peux-tu te trouver ici... alors que tu es là-bas ? a-t-elle murmuré en tendant la main derrière elle.

Sur l'écran de la télévision, une image aérienne floue montrait une silhouette courant le long de la Georges River, suivie par le projecteur d'un hélicoptère.

– C'est censé être en direct. Et je t'ai reconnu sur plusieurs images ! Tu as le don d'ubiquité ? Et d'où sort cette chemise ? a-t-elle demandé en fronçant les sourcils.

Je me suis effondré sur une chaise, la tête dans les mains. Les différentes explosions avaient constellé mes cheveux de poussière et de gravillons.

– Donne-moi d'abord à boire, s'il te plaît.

Winter me dévisageait toujours.

– Je ne comprends pas. Qui passe à la télévision ?

– Ma précieuse doublure, ai-je répondu en saisissant le gobelet qu'elle venait de poser devant moi.

– Ryan ? Ryan Spencer ? Mais explique-toi, enfin !

– Boris a pu te mettre au courant de l'épisode de Whitecliff ?

– Oui. Tu as empêché un crime et un mariage. Ton oncle, ta mère et Gaby sont sains et saufs. Seulement, Boris ignorait ce que tu étais devenu après ta fuite.

– Les policiers m'ont pourchassé pendant des heures, de la chapelle jusqu'à la Gare Centrale. Au moment où je me croyais perdu, Ryan Spencer est apparu. On a échangé nos vêtements, il est parti en courant...

– ... attirant les flics derrière lui pour te permettre de te sauver, a-t-elle fini à ma place. Génial ! Le leurre parfait ! Et il ne risque pas d'être jeté en prison puisqu'il n'a commis aucun délit.

– C'est ce qu'il m'a dit, mais si les policiers l'attrapent, ils auront quelques questions à lui poser. Je préférerais qu'il leur échappe...

04:02

Allongé sur le canapé, j'ai repassé dans ma tête les événements qui s'étaient produits la veille dans la chapelle de Whitecliff. J'ai revu Gaby, une couronne de fleurs dans les cheveux ; ma mère et Ralf debout côte à côte, sur le point d'être unis – cette image me faisait encore grincer des dents.

Malgré tout j'avais tenu la promesse que je m'étais faite : protéger Ralf des balles d'un tueur à gages.

Puis j'ai repensé au Dr Maggot, ce vieux fou passionné de champignons mortels. Il m'avait prévenu sans que je connaisse ses motivations. Heureusement que j'avais pris son message au sérieux. Sinon, Ralf, ou une autre personne innocente, aurait quitté ce monde.

Pour l'instant, le mariage était ajourné. Il me fallait désormais me concentrer sur ma mission : remettre la main sur le Joyau et l'Énigme Ormond, puis les apporter au conservateur des livres rares du Trinity College, à Dublin. Cette étape serait la première de notre enquête en Irlande.

Dix mois s'étaient écoulés depuis l'avertissement fatidique qui m'avait été lancé la veille du jour de l'an.

Je ne disposais plus que de soixante et un jours jusqu'au 31 décembre.

Si je réfléchissais à tout ce qu'il me restait à accomplir, l'entreprise paraissait insurmontable. Non seulement mes amis et moi devions retrouver l'Énigme et le Joyau et nous rendre en Irlande, mais nous devions réussir, les premiers, à assembler les indices qui nous révéleraient le secret de la Singularité Ormond. Je m'étais aussi juré de découvrir les circonstances précises de la mort de mon père.

Et puis, bien sûr, il me faudrait laver mon honneur de tout soupçon afin de mettre un terme à ma vie de fugitif.

Il n'y avait pas une seconde à perdre.

10:46

À mon réveil, l'appartement était vide. Winter m'avait laissé un mot :

Partie retrouver miss Sparks
à la bibliothèque.
Repose-toi.
à + :-)
Bisous
Winter

J'ai débranché mon portable de son chargeur pour appeler mon meilleur ami.

– Boris, c'est moi. Tout va bien.

– Je sais, a-t-il répliqué à voix basse. Winter m'a téléphoné ce matin. Folle nuit, hein ?

– Démente !

– Écoute, mec, je suis au lycée. J'ai un exam super important, je n'ai qu'une seconde à t'accorder. Dis-moi, la poudre d'enfer a fonctionné comme tu voulais ?

– Impec. Elle a failli m'exploser les tympans, mais elle m'a permis de m'échapper... jusqu'à ce que Ryan prenne le relais.

– Formidable ! Comme quoi c'est une aubaine d'avoir un sosie... Tu as eu une chance dingue. Il faut que j'y aille. On se voit demain après-midi chez Winter. J'ai un truc pour toi.

– Quoi ?

Il avait déjà raccroché.

2 novembre
J –60

12:00

Malgré une journée de repos, j'avais encore mal aux jambes d'avoir tant couru. Comme la veille, Winter était partie rejoindre sa préceptrice à la bibliothèque. Après une douche brûlante, je me suis installé sur le canapé, les pieds en l'air, la radio à portée de main pour écouter les informations. En entendant prononcer mon nom, j'ai monté le son.

Le journaliste donnait la parole à l'inspecteur McGrath, qui m'avait accusé de l'enlèvement de Gaby lorsque j'étais détenu dans l'unité sécurisée de l'hôpital Armitage. Soudain, la peur m'a serré le ventre.

– *Le filet se resserre autour du jeune Ormond. Nous avons mis sur pied une cellule de renseignements où sont traitées chaque jour des données cruciales concernant ce dangereux criminel.*

Les mailles du filet se resserrent autour de lui. À partir des relevés de tous les endroits où il a été repéré, nous avons délimité une zone au sud-est de la ville. Son arrestation est imminente. Ce n'est plus qu'une question d'heures.

Aïe ! Il ne bluffait pas. Le sud-est ! Exactement où je me trouvais à cet instant, chez Winter. C'était également dans ce quartier que se situait ma planque de St Johns Street.

Une fois de plus, j'allais être contraint de déménager. Winter et Boris auraient peut-être des idées à me proposer. En attendant, il me fallait changer de look sans tarder.

J'ai décidé de me teindre les cheveux en châtain foncé, ou même en noir.

Je devais courir le risque d'entrer dans un magasin.

Par précaution, j'ai enfoncé une des casquettes de baseball de Winter sur mon front et chaussé les lunettes de soleil que Boris portait le jour où il avait pris l'apparence de Sumo, à la Zürich Bank.

13:13

En bas de chez Winter, la rue était déserte ; pourtant je me suis senti exposé.

Je me suis retourné en entendant quelqu'un sortir de l'immeuble, derrière moi. Un homme en costume me scrutait à travers ses lunettes aux montures marron.

– Je t'ai déjà vu plusieurs fois ici, m'a-t-il lancé. Dans quel appartement habites-tu ?

– Je viens juste rendre visite à quelqu'un.

Contrarié par mon manque de précision, il a grogné, puis hoché la tête comme pour signifier qu'il se contenterait de cette réponse vague mais qu'il m'avait à l'œil. Je l'ai regardé s'éloigner vers l'arrêt de bus. Il ne manquerait pas de se renseigner sur moi auprès des autres locataires, et finirait par apprendre qu'aucun d'eux ne fréquentait un adolescent de 16 ans. J'aurais intérêt à espacer mes visites chez Winter. Voire même à éviter complètement son appartement.

Soudain, sentant quelque chose me frôler, j'ai levé instinctivement un bras pour me protéger.

Une pie venait de fondre sur moi depuis l'un des grands figuiers qui bordaient le trottoir. Surpris, je l'ai vue se percher sur une branche basse. La tête inclinée, elle m'a fixé de ses yeux sombres.

J'ai ôté mes lunettes de soleil pour mieux l'observer. Ce n'était pas le Baron noir, mais elle m'a rappelé mon grand-oncle Bartholomé et son fidèle oiseau dressé à l'attaque.

Tout en poursuivant mon chemin vers les magasins, je n'ai pu m'empêcher de jeter un coup d'œil par-dessus mon épaule. La pie n'avait pas bougé ; elle suivait ma progression de son regard perçant. J'aurais bien aimé vivre dans les arbres, moi aussi, et observer le monde de haut, invisible aux regards inquisiteurs.

Cela m'a donné une idée, il faudrait que j'en parle à Boris.

13:22

Après avoir choisi une teinture bon marché, je me suis approché du comptoir.

– On se connaît, non ? m'a demandé la pharmacienne.

– Je viens de temps en temps, ai-je menti. J'habite le quartier.

Elle a opiné de la tête et m'a rendu la monnaie sans me quitter des yeux.

Juste à cet instant, mon portable s'est mis à vibrer dans ma poche. Je me suis empressé de sortir du magasin pour répondre.

– Cal ?

– Winter ? Qu'est-ce qui se passe ? Tout va bien ?

– Oui, oui. J'ai quitté miss Sparks à l'instant. Je rentre à la maison. Boris nous rejoindra directement après le lycée. On poursuivra notre plan comme prévu : il faut d'abord réfléchir ensemble au moyen de récupérer le Joyau et l'Énigme, puis organiser notre voyage en Irlande. Déterminer aussi qui se cache derrière les trois derniers surnoms de la liste. L'un d'eux possède sans doute les objets qui nous intéressent.

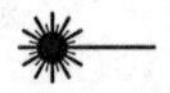

12 Lesley Street

17:11

Boris s'est laissé tomber sur une chaise avec un grand sourire.

– Ça y est, j'ai passé mon dernier exam de physique.

– Que tu as brillamment réussi, bien sûr ? a plaisanté Winter.

– Naturellement. Les doigts dans le nez, ma vieille. Trop fastoche pour moi.

Elle lui a jeté un coussin à la tête. Je l'ai bombardé à mon tour avec ceux qui étaient disposés à ma portée.

– Hé ! C'est vrai, je vous jure ! En tout cas, vous devriez trouver ça cool puisque à partir de maintenant mon génial cerveau va s'occuper à plein temps, ou presque, du DMO.

Les bras croisés, il a ajouté :

– Au fait, je peux vous révéler les résultats de mon programme « chiffre de César ».

– Alors ?

– Que dalle. Nada. Rien que du charabia.

J'ai secoué la tête en grognant.

– Attends, a-t-il repris, il faut considérer le côté positif de la chose.

– Parce qu'il y a un côté positif ?

– Au moins on sait que le chiffre de César ne s'applique pas à la première partie de l'Énigme, a expliqué Winter.

– Super ! ai-je ricané, amer. On en déduit donc qu'il a été utilisé dans les deux derniers vers, ceux qui nous manquent, ou alors nulle part ! Nous voilà bien avancés... En attendant, j'ai absolument besoin de dénicher une nouvelle planque. Je viens d'entendre aux infos que les flics m'ont localisé dans le sud-est de Richmond. Impossible de rester ici.

– Je m'en charge, a proposé Boris.

– J'ai déjà ma petite idée. Tu te souviens de notre cabane dans l'arbre ?

Mes deux amis m'ont dévisagé comme si je parlais une langue étrangère.

– Chez Luke Lovett, ai-je précisé.

– Oh, oui, je me rappelle. Celle qu'on avait construite au fond de son jardin dans les branches d'un arbre gigantesque.

– Tu n'es pas un peu vieux pour ce genre de jeux ? a ironisé Winter.

J'ai haussé les épaules.

– La situation est critique, me suis-je justifié.

– Pas mauvaise, ton idée, Cal, a approuvé Boris. La maison était à l'écart, et le jardin très touffu. À mon avis, notre cabane tient toujours debout. Qui voudrait détruire ce modèle époustouflant d'architecture arboricole ?

J'ai poursuivi, pour Winter :

– On l'a presque entièrement construite avec des planches qu'on transportait dans une brouette depuis une vieille grange en démolition. Et pour la meubler, on a trouvé une banquette de train abandonnée au bord d'une route.

– J'ai toujours rêvé d'une cabane dans un arbre, a murmuré Winter d'un air songeur.

– À nos yeux, la nôtre était la plus fantastique au monde, ai-je ajouté. Surtout avec son échelle de corde et sa balançoire.

Boris a opiné en souriant.

– Personne ne devinera que tu t'y caches, Cal. À condition que tu fasses gaffe.

– Rassure-toi, je resterai sur mes gardes. Cette vigilance m'a permis de survivre jusqu'à aujourd'hui. Mais, dis-moi, ces tourtes que tu couves dans ton sac ne vont pas se manger toutes seules. Sors-les vite, elles sentent trop bon !

Boris s'est exécuté et a posé sur la table un large sachet en papier.

Alors que nous étions absorbés par notre repas, j'ai tenté de me remémorer la dernière fois où je m'étais senti insouciant. J'ai dû remonter loin dans le temps, avant la mort de mon père. Au cours du dernier été passé en famille à la baie des Lames. Ma mère assise sous un parasol avec une pile de livres ; mon père, Gaby et moi en train de pêcher à bord du bateau ; nous quatre allant acheter des frites en ville pour accompagner nos ridicules prises du jour.

Je suis revenu à la réalité.

– Au fait, tu m'avais promis de m'apporter un truc, Boris. Tu ne parlais pas des tourtes, j'imagine ?

– Hmm, une seconde.

Il a léché ses doigts graisseux avant de plonger la main dans son sac pour y saisir une fine enveloppe matelassée.

– Voici une balise GPS de survie. Je voudrais que tu la portes sur toi. Prends-en soin. En cas d'urgence, tu pourras l'utiliser pour nous alerter.

– Si l'ange Ormond me fait faux bond, par exemple ?

Ignorant ma plaisanterie, Boris a poursuivi :

– Glisse-la sous la semelle intérieure de ta basket.

Il m'a tendu un couteau de poche.

– Tiens, découpe un trou dans le caoutchouc. En y insérant la balise, tu ne seras pas gêné pour marcher. Ni même pour courir !

Elle ressemblait à celle qu'Oriana de Witt m'avait implantée dans l'épaule. Je l'ai retournée dans la paume de ma main.

– Elle s'allumera si tu presses ce bouton, a complété Boris. Elle enverra alors un signal de détresse qui me permettra de te suivre à la trace.

Obéissant aux conseils de mon ami, j'ai creusé dans le talon de ma semelle une cavité de la taille et de la forme de l'émetteur.

– Parfait, a-t-il commenté en me passant un rouleau de scotch d'électricien. Recouvre-le maintenant.

Une fois le GPS soigneusement fixé, j'ai replacé la semelle dans la chaussure, rechaussé ma basket et fait le tour de la cuisine.

– J'ai l'impression d'avoir une pièce de monnaie sous le pied.

– Tu t'y habitueras.

– En tout cas merci, Boris. C'est génial. Même si je préférerais ne jamais en avoir besoin.

– Bon, si on se penchait à nouveau sur la liste des surnoms ? a suggéré Winter. Vous croyez que Petit-Prince se rapporte au roman du célèbre aviateur français, Antoine de Saint-Exupéry ?

Elle avait prononcé le nom de l'écrivain avec un accent étonnant.

– Il raconte l'histoire d'un pilote en perdition dans le désert, a-t-elle précisé.

Winter nous a tendu à chacun une photocopie de la liste établie par le notaire.

~~COUPE-ORTEILS~~
~~DIABLESSE~~
~~M'AS-TU-VU~~
EAU-PROFONDE
DOUBLE-JEU
PETIT-PRINCE

Puis elle nous a dévisagés.

– Surprise, surprise : ce récit évoque des dessins et met en scène un garçon et une rose. Ça ne vous rappelle rien ?

– Bizarre ! Pour choisir un surnom pareil, Bones devait être au courant des croquis de mon père et de leur importance dans l'interprétation de la Singularité Ormond.

– Je n'ai cessé de me creuser la tête pour deviner à qui correspondaient les surnoms, a regretté Winter. Je n'ai pas trouvé. Seul Bones détient la réponse : il les a inventés.

Elle a poussé un profond soupir avant de conclure :

– Je n'ai plus d'idées. Nelson Sharkey pourrait peut-être nous donner un coup de main là-dessus.

Elle a paru hésiter, comme si elle était sur le point d'ajouter quelque chose, puis elle a secoué la tête, ses yeux noirs fixés sur les miens, et s'est détournée.

Mal à l'aise, Boris s'est agité sur sa chaise.

– Si tu préfères que je m'en aille, pas de problème.

– Non, non, Boris. Il faut que tu écoutes toi aussi. Cal, je voulais te parler de Sligo. Il m'a appelée pour me demander mon aide.

– Ton aide ?

– Il pense qu'en tant qu'adolescente je serais à même de l'éclairer sur tes agissements et tes motivations. D'après ce que j'ai pu apprendre, il est persuadé que tu es le détenteur de l'Énigme et du Joyau. Il a réussi à en convaincre Oriana de Witt. Cal, tu as désormais contre toi les forces conjuguées de tes deux pires ennemis.

Le truand et l'avocate me poursuivaient depuis toujours, me rendant la vie infernale, et voilà que dorénavant ils faisaient équipe...

– Ce n'est pas tout, a-t-elle enchaîné, les yeux dans le vague. Je n'ai aucune certitude, pourtant je crains un problème avec Sligo. Il a un étrange comportement en ma présence. Il a changé. J'ai l'impression qu'il a des soupçons.

– Explique-toi, a demandé Boris.

– Deux ou trois fois, je l'ai surpris en train de m'observer. Dès que je lève les yeux, il évite mon regard. Il a très bien pu me surprendre en train de fouiner dans son bureau ou son entrepôt. Je crois connaître toutes les caméras de surveillance, mais il est capable d'en avoir installé d'autres. Quoi qu'il en soit, Sligo a les nerfs à vif en ce moment. La soirée catastrophe du banquet l'a drôlement secoué. Sa parano a empiré...

Je lui ai pris la main.

– Winter, promets-moi de faire preuve de la plus grande prudence à l'avenir. Et tu sais que tu peux compter sur moi.

Elle m'a serré les doigts.

– Oui, tu peux compter sur nous deux, Winter, a renchéri Boris. Sligo est un mec dangereux. Tu devrais me laisser concocter un dispositif spécial, histoire d'assurer ta protection personnelle.

– Évite les capsules explosives, ai-je plaisanté.

– J'imaginais plutôt un truc à base d'effluves de putois.

– Oublie tout de suite ! l'a interrompu Winter.

Soudain, une idée m'a traversé l'esprit.

– J'aurais cru qu'Oriana de Witt disparaîtrait quelque temps de la circulation après la dénonciation de Kevin au sujet du kidnapping de Gaby.

– Avancer des allégations est une chose, fournir des preuves en est une autre, m'a fait remarquer Boris. Il y a peut-être une enquête policière et judiciaire en cours. Pour le moment, c'est la parole de Kevin contre celle d'Oriana de Witt. Et qui douterait de l'honnêteté d'une professionnelle du barreau ? Au fait, tu veux écrire un message sur ton blog tant que mon ordinateur est allumé ?

– Bonne idée ! Je n'ai pas mis de post depuis longtemps, ai-je marmonné.

J'avais un sale pressentiment, sans trop savoir pourquoi. Les craintes de Winter déteignaient-elles sur moi ? En attendant que Boris se connecte, je me suis dirigé vers la fenêtre et j'ai regardé au-dehors.

Boris a poussé un cri. Aussitôt, j'ai laissé retomber le rideau.

– Qu'est-ce qu'il y a ?

En découvrant le visage inquiet de mon ami, j'ai senti mon cœur se serrer.

– Qu'est-ce que c'est que ce truc ? s'est exclamée Winter qui venait de se pencher par-dessus son épaule.

Je me suis hâté de les rejoindre.

Les mots « 11 novembre » défilaient sur l'écran, répétés à l'infini.

– Ton ordi a planté ? ai-je suggéré.

– Non ! a rétorqué Boris, très énervé. Ces mots s'inscrivent tout seuls. Quelqu'un a piraté ton blog !

– Comment ?

– J'en sais rien !

– Que se passera-t-il le 11 novembre ? a interrogé Winter.

– C'est ce que j'essaie de comprendre, a dit Boris.

Déconcertés, nous nous sommes dévisagés.

J'ai insisté :

– Cette date a forcément une signification si quelqu'un a piraté mon blog pour la diffuser. Mais est-ce qu'elle constitue un avertissement ou une menace ?

Ni Winter ni Boris n'ont répondu.

– Je peux quand même déposer un message sur mon blog ?

Boris a écarté les mains en signe d'impuissance.

– Impossible. La page est bloquée. Il faut que j'éteigne l'ordi.

– Il s'agit plutôt d'un avertissement, a déclaré Winter. Ce blog est hyper protégé, non ?

– Oui. En tout cas, trop bien protégé pour un pirate amateur.

Le silence qui a suivi la réponse de Boris m'a alerté. Soudain, l'immeuble me paraissait extraordinairement calme.

– Il se passe quelque chose ici, ai-je lancé en sautant de mon siège.

Winter s'est précipitée vers la fenêtre. De mon côté, j'ai entrouvert la porte et jeté un coup d'œil dehors.

– Qu'est-ce que tu as, Cal ?

Danger ! Chaque cellule de mon corps me signalait la présence d'une menace ! Je n'aurais pas dû courir le risque de traîner davantage dans l'appartement de Winter.

J'ai scruté à nouveau la terrasse. Elle était déserte.

– Une sirène de police ! ai-je sifflé entre mes dents.

Je me suis glissé jusqu'au bord du toit pour observer la rue en contrebas. Terrifié par ce que j'ai vu, j'ai reculé d'un bond !

Je me suis élancé à l'autre bout de la terrasse, là où débouchait l'escalier de secours. À nouveau, j'ai battu en retraite.

L'immeuble était cerné !

Je suis rentré en quatrième vitesse chez Winter.

– Ça grouille de flics ! Partout !

Alors Winter a couru se pencher au-dessus du parapet pour examiner la cour. Une main plaquée sur la bouche, elle a fait volte-face puis a gémi :

– Oh mon Dieu ! Ils montent ! Sauve-toi, Cal !

– Sans ailes, je vais avoir du mal...

J'entendais déjà les policiers gravir les marches deux par deux. J'étais piégé. J'ai sprinté vers un côté de l'immeuble. Environ trois mètres plus bas s'étendait un autre toit terrasse. Mais un espace assez large, lui aussi, séparait les deux bâtiments. Serais-je capable de le franchir ?

J'ai aussitôt vérifié l'autre côté. Rien à faire. L'immeuble voisin était beaucoup trop éloigné. Je suis revenu sur mes pas. Je tenais ma seule chance de m'échapper. Un saut gigantesque...

Winter m'a rejoint en courant.

– Tu ne penses quand même pas t'enfuir par là ! s'est-elle exclamée en m'agrippant le bras. C'est du suicide, Cal !

Boris a surgi à mes côtés.

– Arrête, mon vieux ! Tu dois rester en vie. C'est plus important que de te soustraire coûte que coûte à la police.

Je savais bien qu'il avait raison, seulement ma décision était prise.

Winter a laissé échapper un hoquet d'horreur quand je me suis penché au-dessus du vide, en montant sur une jardinière, afin de mieux évaluer la distance. Si je ratais mon coup, je m'écraserais dix mètres plus bas.

– Déconne pas, mec, a supplié Boris.

– Écoute, Cal, on va trouver une solution. Il y a sûrement une cachette quelque part. Ne saute pas, tu vas te tuer.

Les éclats de voix des policiers nous parvenaient déjà.

– Désolé ! S'ils m'arrêtent maintenant, jamais je ne saurai ce qu'est la Singularité Ormond.

Prenant mon courage à deux mains, j'ai reculé jusqu'à l'autre bout du toit terrasse, je me suis mis à sprinter. À la jardinière, j'ai pris appui dessus du pied gauche, frappé le rebord du toit avec le pied droit et bondi dans les airs.

Je manquais d'élan ! L'autre immeuble était trop loin. J'ai senti la force de la pesanteur me tirer vers le bas. Les mains désespérément tendues en avant, je ne voyais plus qu'une chose : la gouttière, mon unique espoir.

Derrière moi, Winter a crié.

Au même moment, mes doigts ont agrippé le rebord de la gouttière et j'ai heurté le mur de plein fouet.

Les genoux amochés, les jambes pendantes dans le vide, j'ai levé les yeux ; le zinc pliait, il se déformait sous mon poids. J'ai regardé en bas. Je n'aurais jamais dû...

– Cal ! La canalisation, a lancé Winter. Aide-toi de cette colonne pour remonter !

Je l'ai repérée sur ma droite. Les dents serrées, j'ai répondu :

– Filez avant d'être arrêtés !

Un grand coup de pied contre le mur de brique m'a permis de balancer les jambes vers la colonne. Je l'ai manquée.

J'ai essayé à nouveau.

Cette fois, je l'ai accrochée avec mes deux pieds. Dès que j'ai considéré que ma prise était sûre, j'ai fait glisser mes mains le long de la gouttière jusqu'à atteindre la colonne, et je me suis hissé péniblement sur le toit.

En me retournant vers l'immeuble de Winter, je n'ai aperçu personne. Mais j'ai entendu la brigade du SWAT qui débarquait sur la terrasse.

J'espérais que mes amis avaient réussi à se sauver. Si jamais les policiers établissaient une relation entre eux et moi, Boris et Winter auraient de sérieux ennuis. Sans parler de la réaction de Sligo lorsqu'il l'apprendrait.

18:34

J'ai traversé le toit au pas de course et éprouvé un soulagement énorme en constatant que celui de l'immeuble voisin était mitoyen, donc facile d'accès. Après avoir dépassé un local de climatisation, j'ai découvert une échelle de secours sur laquelle je me suis engagé aussitôt.

Elle s'arrêtait au premier étage. La belle affaire ! Après mon exploit olympique, ce n'était pas un petit saut de rien du tout qui m'effrayerait !

À l'instant où j'atterrissais brutalement sur le sol, j'ai réalisé que des sirènes hurlaient dans les environs et qu'un hélicoptère survolait le quartier. La police n'allait pas tarder à se déployer dans les rues environnantes.

Mon cœur n'avait pas retrouvé son rythme normal depuis le bond terrifiant que j'avais exécuté.

Stimulé par l'adrénaline, effet de la terreur et de l'exultation conjuguées, je me suis élancé à une vitesse supersonique, avec une seule obsession, fuir cette zone dangereuse.

Tête baissée, évitant de croiser les regards des passants, j'ai foncé à travers rues et ruelles, tournant, montant, descendant, zigzaguant... Peu importait où, du moment que je m'éloignais du danger.

19:10

Soudain, le décor m'a paru familier. Je venais de dépasser l'immeuble de Ryan Spencer ! J'ai ralenti, stoppé avant de faire demi-tour en direction de l'entrée vers laquelle se dirigeait un couple de vieilles dames chargées de sacs de provisions.

Et si je les suivais ?

L'arrivée soudaine d'une voiture de police m'a décidé. Je me suis jeté dans le hall, derrière elles, avant que la porte d'entrée ne se referme.

Caché dans un coin, j'ai repris mon souffle tandis qu'elles montaient l'escalier sans se presser.

Lorsque la voie a été libre, j'ai gravi les marches quatre à quatre jusqu'à l'appartement de Ryan dont la porte était entrebâillée. Je l'ai poussée tout doucement. Une odeur délicieuse s'échappait de la cuisine.

Penchée sur le plan de travail, une femme battait des œufs dans un grand bol bleu et blanc en faïence.

– Tu as été rapide, a-t-elle lancé.

Puis, toujours de dos, elle a ajouté :

– Tu peux me donner le lait et ranger le reste au réfrigérateur s'il te plaît, Ryan ?

Tétanisé, j'ignorais comment réagir.

– Ryan ? a-t-elle répété.

Juste à ce moment-là, quelqu'un a fait irruption derrière moi, avec un sac d'épicerie plein à ras bord dans les bras.

Ryan !

La femme s'est alors retournée. Elle s'apprêtait à parler lorsqu'elle nous a aperçus tous les deux sur le seuil. Bouche bée, elle nous a dévisagés l'espace d'une seconde. Ses yeux se sont posés sur Ryan puis sur moi, avant de se révulser. Ses jambes ont plié sous elle et elle s'est effondrée sur le carrelage.

– Maman ! a crié Ryan en lâchant ses provisions pour se précipiter vers elle. Vite, de l'eau !

J'ai rempli au robinet un verre attrapé sur l'évier et je me suis agenouillé à côté de Mrs Spencer pour vérifier son pouls et sa respiration. Ryan a humidifié une serviette avec laquelle il lui a tamponné le front et les tempes.

– C'est un simple évanouissement, l'ai-je rassuré. Dans quelques minutes, elle sera d'aplomb. Je n'avais pas l'intention de l'effrayer, je venais juste voir si tu étais là.

À nous deux, nous l'avons installée en position assise, le dos calé contre un placard.

– Merci pour l'autre nuit, ai-je ajouté. Sans toi, je n'aurais jamais pu échapper aux policiers.

– Tu n'as pas à me remercier. Je les ai fait cavaler un bon bout de temps. Puis je me suis débarrassé de ta veste. Je les ai semés en me planquant dans une allée étroite, et je suis rentré tranquillement à la maison.

– Pourquoi tu m'as aidé ? Avant, chaque fois que je tombais sur toi, tu te sauvais en courant.

Ses yeux étaient plantés dans les miens. Avait-il, tout comme moi, l'impression de fixer un miroir où se reflétait son regard ?

– J'ai lu ton blog il n'y a pas très longtemps. J'ai du mal à croire que tu sois un assassin, Cal, même si je ne saisis pas pourquoi tu persistes à fuir. Pourquoi tu ne te rends pas à la police afin de prouver ton innocence ?

– Je ne peux pas risquer d'être jeté en prison. Trop de choses dépendent de ma liberté d'aller où je veux.

Ryan continuait à tamponner le front de sa mère et à l'éventer.

– Pour moi aussi, la vie est difficile. Être la copie conforme de l'ado-psycho n'a rien de drôle, a-t-il affirmé. Impossible de faire un pas sans que les flics me harponnent. La semaine dernière, même mes voisins étaient prêts à me traîner au commissariat. Il a fallu que ma mère intervienne. Si je tague « Pas psycho » dans toute la ville, c'est parce que j'en ai marre que les gens me prennent pour toi.

J'ai examiné la carte de bus pendue à sa ceinture. Elle avait l'air toute neuve – un duplicata de celle que je lui avais volée.

Ryan a surpris mon regard.

– Tu comprends pourquoi on me contrôle sans arrêt, a-t-il repris en tapotant la photo. Bizarre qu'on se ressemble autant, toi et moi.

Il se trompait. Je ne fixais pas la photo mais la date de naissance inscrite sur la carte.

– Tu es né le 11 novembre ?

– Oui. Pourquoi ? Ne me dis pas que toi aussi !

Je suis resté hébété, sans voix. Il s'agissait de la date répétée en boucle sur mon blog ! Le *11 novembre* !

– Non, je suis né en juillet. C'est toi qui as piraté mon blog ?

– Hein ? s'est-il écrié, l'air abasourdi. De quoi tu parles ? Je n'ai jamais piraté de blog. D'ailleurs, je suis nul en informatique !

Mrs Spencer commençait à remuer la tête et à marmonner.

– Tu ferais mieux de t'en aller avant qu'elle reprenne connaissance, Cal. Je doute qu'elle soit prête à affronter ce spectacle.

Il désignait nos deux visages.

– Désolé, me suis-je excusé. J'espère qu'elle s'en remettra vite.

Je me demandais quelle explication il pourrait lui fournir.

– Ne t'inquiète pas. Elle a toujours refusé d'admettre qu'on se ressemblait comme deux gouttes d'eau. Je suppose qu'elle changera d'avis maintenant qu'elle nous a vus côte à côte...

3 novembre
J –59

Bord de mer

10:10

– On a failli mourir de peur quand tu as sauté du toit, mec !

– Et moi, donc ! J'ai bien cru ma dernière heure arrivée…

J'appelais Boris de la plage – où j'avais dormi –, pour lui décrire ma fuite éperdue et mon face à face avec la mère de Ryan Spencer.

– Devine quel jour est né Ryan ?

– Le même que toi ?

– Non. Cherche encore.

Il n'a pas hésité longtemps.

– Le 11 novembre ?

– Gagné !

– Tu es sérieux ?

– On ne peut plus sérieux. Quand je l'ai accusé d'avoir piraté mon blog, il a halluciné. Cette date a certainement un rapport avec son anniversaire, mais pourquoi quelqu'un s'amuserait-il à inonder mon blog avec ?

– Je l'ignore. Quelqu'un souhaite visiblement que tu la connaisses.

– Je ne comprends pas dans quel but. Si tu me disais plutôt comment Winter et toi vous êtes tirés d'affaire ?

– Trop long à raconter au téléphone. On se retrouve sur la plage ce soir ? Derrière l'ancien Seagull Café, par exemple ?

19:35

Faiblement éclairées par les lampadaires du front de mer, les lignes blanches des déferlantes roulaient en rangs serrés vers le sable. De temps en temps, on distinguait la silhouette d'une mouette. Quelques promeneurs flânaient encore sur la plage tandis que, caché avec Boris derrière le café abandonné, j'écoutais mon ami m'expliquer comment Winter et lui avaient échappé à la police.

– On était coincés. Pas question de te suivre en sautant dans le vide. Comme les flics envahissaient déjà l'escalier, on s'est précipités dans l'appartement pour rassembler les dessins, les notes, tous les éléments compromettants pour nous trois, puis Winter m'a entraîné dehors.

J'ai d'abord cru qu'elle allait nous jeter dans la gueule du loup. Je me trompais, bien sûr. Elle m'a fait signe de me taire et de la suivre. Elle s'est arrêtée devant une sorte de coffre en métal, dont elle a soulevé le couvercle d'un coup de pied pour se faufiler souplement à l'intérieur.

– Quoi ?

– C'était un ancien vide-linge ! Elle a juste marqué une pause d'une seconde pour me signifier que j'avais intérêt à l'imiter si je voulais sauver ma peau, avant de se laisser glisser sur une sorte de toboggan. Elle a disparu en un clin d'œil. J'ai d'abord entendu un chuintement puis, quelques secondes plus tard, un bruit sourd.

J'essayais d'imaginer la scène.

– Tu es descendu derrière elle ? La chute a dû être impressionnante, Boris...

– Plus de six étages, la glissade ! Crois-moi, je m'en serais passé mais les policiers casqués et armés de matraques surgissaient sur le toit. Je n'avais pas le choix. Alors, j'ai pris mon courage à deux mains, rentré le ventre et sauté.

Il a secoué la tête, encore époustouflé par son propre exploit, et a posé avec précaution la main sur le côté gauche de son front où s'étalait un large bleu.

– Quel plongeon, mec ! J'ai eu l'impression de dégringoler pendant une éternité. Je me cognais la tête et les épaules contre les parois. Finalement, j'ai atterri sur une pile de vieux chiffons répugnants qui tenaient sans doute lieu de vêtements à l'époque où le capitaine Cook[1] a débarqué en Australie ! J'ai levé les yeux et j'ai aperçu Winter, à deux mètres de moi. Un sourire satisfait sur les lèvres, elle retirait de ses cheveux des toiles d'araignées et des feuilles.

Admiratif, j'ai félicité mon ami :

– Voilà une évasion qui marquera l'histoire.

– Attends la suite. On n'était pas encore tirés d'affaire, a repris Boris. On se trouvait au sous-sol de l'immeuble, dans une pièce où personne n'avait mis les pieds depuis cinquante ans, et derrière une porte close.

– Vous n'avez pas eu peur que les flics viennent vous cueillir ?

– Si, bien sûr, mais Winter a vite compris que l'issue était dissimulée par des mauvaises herbes – elle donne directement sur la cour, à côté des poubelles. De l'extérieur, on dirait une trappe. Tu vois l'endroit ?

– Oui. Je crois.

Je me représentais à peu près cette plate-bande en friche.

– Winter était persuadée que les flics ignoraient l'existence de ce sous-sol. On a attendu une heure environ que le calme revienne avant de balancer des coups de pied dans la porte. Impossible de l'ébranler. J'ai failli appeler au secours, mais Winter m'a plaqué une main sur

1. James Cook (1728-1779) : navigateur, explorateur et cartographe britannique. Il atteint la côte est de l'Australie en 1770 et la rattache à la Grande-Bretagne.

la bouche pour m'en empêcher. Ensuite, elle s'est perchée sur une vieille poubelle renversée dans le but de remonter par le vide-linge !

– Décidément, cette fille ne doute de rien.

– Le plus dingue est qu'elle a fini par réussir.

– Sans blague ? Mais vous étiez tombés de plusieurs étages ! Comment a-t-elle pu grimper dans le vide-linge ?

– Cette nana est vraiment sidérante. Je l'ai aidée à agripper le bas du toboggan, et simplement en calant son dos et ses pieds contre les parois, elle s'est hissée centimètre par centimètre, mètre par mètre. Arrivée au sommet, elle m'a crié de patienter derrière la porte.

– Incroyable ! Et elle est parvenue à l'ouvrir ?

– Seulement après avoir arraché l'herbe qui poussait devant et fait sauter le cadenas avec une pince spéciale dénichée dans un cagibi. Tu n'imagines pas à quel point j'étais content de revoir la lumière du jour, mon pote.

19:54

L'air encore tiède sentait le sel et la mer. Cette odeur m'a rappelé la nuit de mon naufrage, en janvier, quand, juché sur la coque renversée du bateau de pêche, je m'étais battu contre les requins. Malgré tous nos efforts, et même si nous avions progressé dans le décryptage des dessins de mon père, nous n'avions guère avancé.

Je me suis assis sur l'une des marches en pierre qui descendaient à la plage avant de me tourner vers Boris.

– On est déjà en novembre. La Singularité Ormond expire le mois prochain. Il faut absolument qu'on se débrouille pour aller à Dublin et parler au Pr Theophile Brinsley, le conservateur des livres rares du Trinity College. Tant pis si on ne dispose que de simples copies et de notes sur l'Énigme et le Joyau.

– Mais il a spécifié qu'il avait besoin du manuscrit original de l'Énigme Ormond !

– Oui, sauf qu'on ne sait pas qui l'a entre les mains. Même Bones l'ignore. Les jours filent. Préparons notre voyage en Irlande. Il me reste des pépites d'or. Je vais les utiliser pour me procurer un faux passeport.

Moroses, nous sommes demeurés un moment silencieux jusqu'à ce que Boris me donne une grande tape sur le genou.

– Viens, on s'en va. J'ai du boulot, et la maison de tes ancêtres t'attend.

– Mes ancêtres ?

Boris s'est mis à sauter sur place en grognant et en se frappant le torse comme un gorille.

– Tu veux parler de la cabane ? ai-je deviné.

– Exact. J'ai procédé à quelques aménagements ce matin, en prévision de ta venue. Tu vas apprécier. Suis-moi.

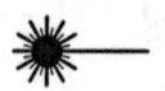

La cabane perchée

20:32

– Alors? Qu'est-ce que tu en penses, vieux? a demandé Boris en s'installant confortablement sur la banquette.

Il avait fixé, à l'arrière de l'arbre, une nouvelle corde qui permettait d'entrer par la fenêtre. Blottie au milieu du feuillage dense, loin de la maison de Luke Lovett, la cabane ressemblait à un jouet abandonné envahi par la végétation. J'ai promené le rayon de ma lampe torche autour de la pièce. Cinq ans plus tôt, je m'y tenais debout sans problème. Aujourd'hui, j'étais contraint de me courber.

– Regarde, Cal, les tapis sont encore là. Et les rideaux aussi. Pas trop mités, d'ailleurs.

Du bout du pied, il a repoussé un coin de tapis sur les planches inégales tout en ajoutant :

– Je t'ai apporté des coussins. Et une méga-réserve de provisions.

J'ai soulevé le couvercle du vieux coffre à jouets placé dans un angle de la cabane. Boris l'avait rempli de boîtes de thon et de haricots, de noix, de chips et de pain.

– Tu devrais te sentir vraiment à l'aise ici, au moins jusqu'à ce qu'on trouve mieux. Le jardin est touffu, et à quelques mètres, il y a un robinet en bon état. Le seul inconvénient majeur, c'est l'absence d'électricité pour recharger ta batterie de portable. Toutefois, j'ai repéré une prise dans la remise à côté de la maison. Tu pourras t'y glisser en cas de besoin.

– Super.

J'ai rangé mon sac à dos dans le coffre à jouets de Luke Lovett, avec les provisions, avant d'ajouter dans un sourire :

– Dommage qu'il n'y ait pas de home cinéma, mais je m'en contenterai. Merci, Boris.

Mon ami s'est levé en riant :

– Bon, je te laisse. Grosse journée au lycée demain. À ta place, j'appellerais Nelson Sharkey. Pour ton histoire de passeport.

6 novembre
J –56

Fitform

17:55

J'ai rejoint l'ex-inspecteur dans sa salle de gym. Tout en m'écoutant, il ne quittait pas la rue des yeux.

– Oui, c'est faisable, Cal. Seulement as-tu une idée du prix que coûte un faux passeport ?

– Très cher, je suppose. J'espérais que vous pourriez m'aider à en obtenir un.

– Où veux-tu aller ?

– En Irlande.

– En Irlande ? Quelle coïncidence ! s'est-il esclaffé. Je dois m'y rendre aussi, pour participer à une réunion de famille. Tous les dix ans, les Sharkey originaires du comté irlandais de Roscommon se regroupent là-bas à Noël.

Une centaine de personnes sont attendues cette année, en provenance du monde entier.

Son visage est redevenu sérieux quand il a ajouté :

– J'imagine que tu veux en savoir davantage sur les toutes dernières activités de ton père ?

– Exact.

– Bonne idée. Tu auras un mal fou à sortir du pays, cependant tu ne peux pas entreprendre beaucoup plus de recherches ici. Les réponses que tu cherches – si elles existent – se trouvent là-bas.

Sharkey raisonnait à cent à l'heure. J'avais de la chance de pouvoir demander conseil à quelqu'un comme lui.

– Une fois en Irlande, tu comptes donc effectuer des recherches sur la Singularité Ormond, réclamer ton dû et, ensuite, revenir innocenter ton nom. C'est bien ton plan ?

– Oui. Je parie que vous étiez un super détective. Vous n'avez jamais eu envie de reprendre du service ?

Nelson a grogné et balayé cette idée d'un revers de main.

– Trop de corruption.

L'espace d'un instant, j'aurais aimé qu'il change d'avis. Étant donné la manière dont il m'avait contacté et offert son aide, j'étais persuadé qu'il désirait encore travailler pour la justice. Même officieusement.

Il avait beau refuser de l'admettre, je devinais que son métier lui manquait. J'avais toujours en mémoire ce qu'il m'avait raconté sur son ancienne patronne, cette femme qui l'avait trahi, piégé, obligé à démissionner ; sur ses enfants qu'il ne voyait plus. Peut-être m'aidait-il parce qu'il avait un fils de mon âge. Un fils avec lequel il ne parlait plus.

Je n'ai pas osé l'interroger sur sa famille. À la place, je lui ai demandé :

– Vous dites que vous pourriez m'obtenir un faux passeport ?

– Oui... à condition que tu aies plusieurs centaines de dollars dans tes poches !

Je ne possédais pas cette somme en liquide, en revanche il me restait des pépites d'or.

– Admettons que l'argent ne soit pas un problème pour moi.

– En ce cas, tout est possible dans cette ville. Il suffit d'avoir les bonnes relations, a-t-il déclaré en s'appuyant contre le dossier de son siège et en jouant avec la capsule de sa bouteille.

– Si je trouve l'argent...

– Et comment comptes-tu t'y prendre, Cal ?

Il avait posé la question sur un ton sévère, celui de mon père quand il me sentait sur le point de faire une bêtise.

– Ton projet de voyage en Irlande me paraît judicieux, sauf si tu dois commettre une folie pour le financer.

– Je n'ai pas l'intention d'attaquer une banque, l'ai-je rassuré avec un petit sourire narquois. Inutile, puisque j'ai de quoi payer.

J'ai sorti de ma poche la bourse qui contenait les pépites d'or.

En les voyant, Nelson Sharkey a émis un long sifflement.

– Où diable as-tu dégoté ce trésor ?

– Vous vous rappelez les deux prospecteurs auxquels j'ai eu affaire dans la Dingo Valley ? Ceux qui voulaient me ligoter pour me livrer à la police et toucher la rançon ? Eh bien, dans la bagarre, j'ai empoché une partie de leur butin... en souvenir.

– Sacré souvenir, a remarqué Sharkey en faisant rouler une pépite dans la paume de sa main.

– Vous pourriez les vendre pour moi ?

– Sans problème.

Je n'avais aucune envie d'affronter de nouveau le sale escroc qui m'avait acheté la moitié de mon magot pour une bouchée de pain. Trop risqué.

– Il y a assez pour faire un faux passeport, non ? ai-je demandé.

– Je ne connais pas le cours de l'or, mais j'imagine que ça suffira.

– Super. À propos, est-ce que les noms Double-Jeu, Eau-Profonde et Petit-Prince vous disent quelque chose ?

Il a froncé les sourcils avant de secouer la tête.

– Non. D'où sortent-ils ?

– Ils apparaissent sur une liste, avec ceux d'autres truands. J'espérais que vous en auriez entendu parler.

– Bizarre, si c'étaient des truands de Richmond, leurs noms me seraient familiers.

9 novembre
J –53

La cabane perchée

14:16

Trois jours plus tard, toujours installé dans mon arbre, j'ai enfin reçu un appel de Sharkey.

– J'ai vendu tes pépites pour mille dollars, m'a-t-il annoncé, je n'ai pas pu hélas obtenir davantage.

– Merci. Votre acheteur s'est montré beaucoup plus généreux que le mien.

– Ravi de t'apporter mon aide, Cal. Maintenant, écoute-moi. J'ai contacté un excellent faussaire de ma connaissance qui a quelques dettes envers moi. Seulement, faire appel à lui coûtera au moins quatre mille de plus.

J'ai failli m'étouffer.

– Quatre mille dollars de plus ? Mais j'ai aussi besoin d'argent pour les billets d'avion. Comment suis-je censé réunir une telle somme ?

– Désolé, il n'existe pas de solution miracle, Cal. Les bons faussaires ne courent pas les rues. Réfléchis, puis recontacte-moi.

Et il a raccroché.

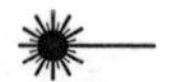

Tour de l'horloge

16:18

Après la descente de police au 12 Lesley Street qui avait manqué causer ma perte, il était hors de question que j'utilise à nouveau le studio de Winter comme lieu de réunion. J'ai appelé mes amis pour leur donner rendez-vous en haut de la tour de l'horloge. J'aimais bien cet endroit, avec sa vue imprenable sur la ville.

Dès que Boris est arrivé, tout essoufflé d'avoir monté les marches, j'ai lancé :

– Gros problème, Sharkey a l'adresse d'un super faussaire...

– Où est le problème ? C'est plutôt une bonne nouvelle !

– Attends de connaître ses tarifs. Cinq mille dollars le passeport !

Les mains de Boris se sont envolées vers sa tête qu'il a commencé à gratter vigoureusement d'un air soucieux.

– Sharkey en a obtenu mille contre les pépites, ai-je précisé. Il ne me reste que cent trente-sept dollars et cinquante-cinq cents.

– Il manque encore trois mille huit cent soixante-deux dollars. Et quarante-cinq cents.

Il a sorti de sa poche une pièce de cinquante cents :

– Tiens, garde la monnaie.

– C'est pas drôle, Boris.

Winter a débouché de l'escalier. Le vent rabattait ses cheveux noirs sur son visage. De grosses lunettes de soleil cachaient ses yeux. Depuis quelque temps, elle avait remplacé les jupes par des pantalons. Aujourd'hui, elle portait un jean noir, des tennis blanches et une chemise à rayures rouges.

– J'ai mon passeport, a-t-elle annoncé en souriant.

– Moi aussi, a déclaré Boris.

D'un mouvement d'épaules, Winter s'est glissée entre nous.

– Génial. À nous l'Europe !

Puis elle a surpris ma mine déconfite.

– Un problème ?

– Pas de passeport, pas de voyage en Irlande.

– Mais il t'en faut un. Tu ne peux pas renoncer maintenant !

– Qui a dit que je renonçais ? J'ai trouvé le moyen d'obtenir un passeport. Il me manque juste quelques milliers de dollars.

– Sans parler de l'argent pour les billets d'avion et le séjour, a observé Boris.

– Merci de me le rappeler.

Excédé, je me suis affalé contre le mur.

– Même si on dort dans des auberges de jeunesse, on aura un minimum de frais d'hébergement, a-t-il insisté. Je vais en parler discrètement à mon oncle. Il a peut-être des combines pour voyager pas cher.

Cette perspective n'a pas suffi à me remonter le moral. Puis, brusquement, j'ai eu une idée :

– Le potager de Drake Bones ! Et si on déterrait son magot ?

– Tu rêves, mec ! Comme s'il était assez idiot pour l'avoir déposé au même endroit.

– C'est clair ! a confirmé Winter. Bien sûr qu'il l'a caché ailleurs.

Ils avaient raison, Bones ne laissait rien au hasard.

– Il n'y a plus de billets planqués dans le potager du notaire. En revanche, je sais où m'en procurer un bon paquet, a lancé Winter.

– Où ça ?

– Moi aussi je connais un endroit qui regorge de fric, a plaisanté Boris en tendant le bras dans la direction lointaine de la Zürich Bank. Il y en a même plus qu'il ne nous en faut.

Winter a levé les yeux au ciel.
– Je suis sérieuse. Je parle d'argent dont je peux m'emparer. Tout de suite, si nécessaire.
– Raconte !
Elle a tiré ses cheveux en arrière et les a tordus en queue de cheval avant de les relâcher tout à coup.
– Sligo...
– Oh non, pitié, pas lui, l'a encore interrompue Boris. Je déteste les phrases qui commencent par ce nom.
Les mains sur les hanches, furieuse, Winter s'est emportée :
– Vous voulez que je vous le dise, ou pas ?
J'ai balancé un coup de coude à Boris.
– Évidemment. Continue, Winter.
– Sligo, donc, dissimule dans sa penderie une valise. Il l'appelle son « sauve-qui-peut ». Je ne devrais pas être au courant de ça, mais vous savez que je surveille ses moindres faits et gestes.
– Un « sauve-qui-peut » ? ai-je répété.
Elle a hoché la tête.
– Une valise de secours. Prête au départ si jamais il devait déguerpir à l'improviste. Ainsi, il peut quitter le pays en un clin d'œil. Toutes ses affaires de première nécessité y sont rangées : passeport, vêtements, brosse à dents, eau de toilette... et *boîtes de cigares*.
– Il ne peut pas voyager sans cigares ?

Boris semblait aussi perplexe que moi.

– En fait, il ne s'agit pas de cigares, a poursuivi Winter. Ces boîtes contiennent autre chose !

– De l'argent ?

Elle a acquiescé, se frottant les doigts en une mimique explicite devant nos yeux ahuris.

– Tu as vu les billets ? ai-je demandé.

Son expression m'a confirmé que non.

– Écoute, je sais qu'ils sont dans la valise, s'est-elle justifiée. J'ai surpris plusieurs fois Sligo remettant ces boîtes à ses interlocuteurs. Je suis certaine qu'elles ne renferment pas de cigares. D'ailleurs, Sligo n'en fume jamais !

Je me souvenais que Sligo avait tendu une boîte de cigares à Bones, le mois dernier, le soir du banquet. Le payait-il en échange d'un service rendu ?

– Ton idée reste une simple hypothèse, a persiflé Boris.

Winter a haussé les épaules.

– Je vous le répète, je suis sûre que les boîtes de cigares sont pleines de fric. Je n'aurai qu'à me servir. De toute façon, Sligo a détourné mon héritage. En puisant dans son magot, je ne ferai que récupérer une infime partie de la somme qu'il m'a volée. Une fois que je serai retournée à l'entrepôt pour examiner la voiture de mes parents, et dès qu'on aura résolu le Dangereux Mystère des Ormond, je couperai les ponts avec lui. J'apporterai mes preuves à la police et ce type disparaîtra de ma vie. Je serai enfin maîtresse de mon destin.

– Le jour où tu iras au commissariat, Winter, je t'accompagnerai. Promis.

– Moi aussi, a renchéri Boris.

Winter nous a adressé un sourire reconnaissant. J'admirais l'assurance avec laquelle elle s'exprimait, comme si une nouvelle incursion dans la casse de Sligo ne constituait qu'un obstacle mineur empêchant la vérité d'éclater. J'appréciais aussi la manière dont elle parlait du DMO : à l'entendre, nous allions le résoudre d'un jour à l'autre.

J'espérais seulement que Sligo ne découvrirait pas trop tôt que sa petite protégée cherchait à le confondre.

– Si tu es décidée à faucher son magot, tu as intérêt à prendre de sacrées précautions, l'ai-je prévenue. Il faudra maquiller le coup en vrai cambriolage.

Brusquement, une idée m'est venue à l'esprit.

– Hé ! Tu possèdes un objet qui appartient à Oriana de Witt. Le foulard léopard avec lequel elle a voulu m'étrangler, tu te souviens ? Tu pourrais le laisser sur place pour orienter les soupçons sur elle.

Le visage de Winter s'est éclairé.

– Génial ! Excellent, Cal. Je l'abandonnerai discrètement sur la scène du crime. J'y ajouterai quelques-unes de ces petites perles argentées qu'elle mange sans arrêt.

– Magnifique ! a approuvé Boris. Après une telle provocation, elle et Sligo seront moins copains.

– J'aurai quand même besoin de votre aide à tous les deux, pour assurer mes arrières, a précisé Winter. Vous surveillerez la villa, au cas où l'opération tournerait mal.

– Compte sur nous, ai-je acquiescé.

– J'irai nager dans la piscine et je m'inviterai à dîner, a-t-elle repris. Sligo adore avoir un public quand il parle de lui. Il s'imagine que ses vantardises m'impressionnent – les ballets qu'il finance, les œuvres d'art qu'il achète, la réception fastueuse qu'il organise le mois prochain.

Les yeux plissés, elle a ajouté :

– En fait, ça ne manquera pas de piquant de l'écouter en souriant alors que son fric sera caché au fond de mon sac de plage !

– Winter, a déclaré Boris d'une voix pleine d'admiration, tu es la nana la plus entreprenante que je connaisse.

Elle lui a adressé un clin d'œil.

Mon portable a émis un bip. C'était un texto de Nelson Sharkey :

> Tu es OK pour le passeport ? Dès que j'ai ton feu vert, mon contact s'en occupe. Il a besoin des $ et d'une photo.

– Je vais le rappeler pour lui demander s'il serait prêt à monter la garde avec nous le jour où Winter dérobera l'argent dans le « sauve-qui-peut ».

11 novembre
J –51

La cabane perchée

06:21

Nous étions le 11 novembre, la date apparue mystérieusement sur mon blog et le jour de l'anniversaire de Ryan. Blotti dans mon sac de couchage, sur la banquette de la cabane, je venais d'être réveillé par des oiseaux qui gazouillaient dans un arbre voisin.

J'étais persuadé que quelqu'un avait voulu attirer mon attention sur l'existence de Ryan. Maintenant que le fameux jour était arrivé, je me sentais mal à l'aise. Et si on avait cherché à m'alerter sur tout autre chose ?

J'aurais bien aimé parler à mon double, mais j'ignorais comment le contacter sinon en me rendant chez lui. Le prendre une fois de plus au dépourvu me gênait. En outre, je craignais de m'aventurer à l'extérieur.

Est-ce qu'un danger me menaçait ? Et si le piratage de mon blog constituait une mise en garde pour cette journée en particulier ?

J'avais horreur d'être ainsi plongé dans l'incertitude.

Mieux valait attendre et ne pas m'exposer inutilement. Tirant le duvet sur mes oreilles, j'ai tenté de me rendormir.

13 novembre
J –49

Villa de Vulkan Sligo

18:01

Boris et moi faisions le guet dans l'étroite ruelle derrière la maison de Vulkan Sligo. Sharkey nous avait déposés en voiture. Il ne pouvait pas rester – « un rencard », avait-il avoué à contrecœur.

Un sarong violet drapé sur son bikini noir, Winter venait de disparaître à l'intérieur de la villa.

D'une main elle tenait une serviette de bain, de l'autre le sac de plage dissimulant le foulard léopard d'Oriana de Witt.

Pour l'instant, Sligo était sorti. Winter comptait profiter de son absence pour s'introduire dans sa chambre, subtiliser l'argent des boîtes de cigares, l'enfouir au fond de son sac, puis retourner à la piscine et se baigner jusqu'à son retour. Elle prétendrait avoir nagé en l'attendant.

– Pourvu que tout se passe bien, ai-je marmonné. Sligo deviendra dingue en constatant la disparition de son magot. Surtout quand il s'imaginera qu'Oriana de Witt est l'auteur du vol.

– Avec un peu de chance, il ne s'en apercevra pas tout de suite. Peut-être pas avant plusieurs semaines.

Le soleil se couchait, pourtant il faisait encore chaud[1]. J'ai pris la bouteille des mains de Boris pour boire une gorgée d'eau.

– Vite, Cal, regarde qui arrive ! Tu ferais bien de prévenir Winter.

La Subaru noire, avec Zombie 2 au volant et Sligo à côté de lui, l'air d'un crapaud en costume cravate, tournait à l'extrémité de la rue. J'ai attrapé mon portable et composé le numéro de Winter.

– Ils sont là. Ils se garent devant la maison, ai-je soufflé dès qu'elle a décroché.

– La valise est verrouillée ! Je ne trouve pas la clé !

– Tant pis. Laisse tomber. Fonce à la piscine. N'oublie pas que tu es censée être venue nager !

J'ai raccroché.

1. En Australie, comme dans tout l'hémisphère Sud, les saisons sont inversées.

– Le « sauve-qui-peut » est fermé à clé, ai-je murmuré à Boris.

Il a juré entre ses dents.

Immobiles, nous avons patienté. Deux minutes plus tard – deux minutes interminables –, un grand *plouf!* nous a rassurés.

20:03

Enveloppée dans son sarong noué autour du cou, sa serviette de bain et son sac de plage jetés sur l'épaule, les cheveux mouillés, Winter est finalement sortie de chez Sligo par la petite porte qui donnait sur la ruelle.

Elle a secoué la tête dans notre direction avec un regard qui en disait long. Bientôt, des pas ont résonné derrière elle. Quelqu'un la raccompagnait. Sligo !

Nous nous sommes tapis derrière une haie, Winter s'est arrêtée et retournée vers son tuteur. Il l'a serrée dans ses bras avant de déposer un baiser sur son front.

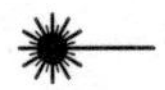

Bord de mer

20:43

Une fois la voie libre, Boris et moi avons pris la direction de la plage où nous avions convenu de retrouver notre amie.

Assis sur la digue, les jambes pendantes, nous nous sentions aussi découragés l'un que l'autre. Winter n'avait pas réussi à ouvrir la valise. Et l'image de Sligo l'embrassant sur le front me taraudait. Pour qui se prenait-il ? Un père adoptif modèle ?

Son attitude hypocrite m'écœurait.

Bouillant d'impatience, j'ai saisi mon portable pour appeler Winter.

Elle a décroché immédiatement.

– Winter ! On est à la plage. Et toi ?

– J'arrive.

Elle a raccroché.

– Alors ? a interrogé Boris. Elle nous rejoint ?

Soudain, nous flanquant une trouille bleue, notre amie a surgi de l'obscurité :

– Et j'apporte un petit cadeau. Dix mille dollars !

S'asseyant entre nous deux, elle nous a attrapés par les épaules.

– Dix mille dollars ? ai-je répété.

Winter a acquiescé en tapotant son sac.

Bouche bée, nous l'avons dévisagée.

– J'étais sûre de trouver l'argent ! J'ai remis les boîtes de cigares exactement à leur place. Vides, bien sûr. Sligo ne se doutera de rien. Et s'il lui prend l'envie d'en ouvrir une, il tombera sur le foulard d'Oriana de Witt !

– Mais je croyais que la valise était verrouillée. Comment tu as fait ?

– Après avoir raccroché, j'ai découvert la clé. Il ne m'a pas fallu longtemps pour déverrouiller le « sauve-qui-peut », escamoter l'argent, le remplacer par le foulard d'Oriana de Witt, puis me jeter dans la piscine. Et voilà !

Malgré la pénombre, je devinais son sourire éclatant.

– Si on jetait un coup d'œil ? a proposé Boris.

Très fière, Winter a ouvert son sac pour nous dévoiler son butin : des liasses de billets de cent.

– Irlande, nous voilà ! a lancé Boris. Hé ! On pourrait entreprendre le tour du monde tant qu'on y est...

– Ne t'emballe pas trop, ai-je conseillé.

– Cela fait quand même un succès de plus à notre actif ! a-t-il conclu. Bon, je ferais mieux de rentrer chez moi. Il va falloir que j'invente une histoire à servir à ma mère et ma grand-mère pour justifier ce voyage en Europe. Un défi digne de mon cerveau génial. Allez, salut. Préviens-moi, Cal, quand tu voudras qu'on se revoie.

22:17

Au clair de lune, le ciel se teintait de mauve au-dessus de l'étendue noire de la mer. Assise sur son rocher, Winter ressemblait à une sirène. Je me suis approché d'elle.

– Attention qu'une vague n'emporte pas ton sac.

– Il faudrait au moins un raz-de-marée, a-t-elle répondu en se poussant pour me ménager une place. J'ai une autre bonne nouvelle pour toi, Cal. Elle concerne Oriana de Witt. Je ne t'en dis pas davantage pour l'instant. Tu le découvriras bientôt toi-même. Surveille les infos.

Son sourire impertinent m'a clairement signifié qu'il était inutile d'essayer d'en savoir plus.

– Tu n'imagines pas à quel point la chambre de Sligo est sinistre, a-t-elle poursuivi. Elle est entièrement noire – jusqu'à la moquette. J'ai fouillé sa penderie, cherché au milieu de ses costumes, de ses chemises. Finalement, la clé était collée au mur, derrière le « sauve-qui-peut ». Tu devrais aviser Sharkey que notre plan a marché pour qu'il confirme au faussaire qu'on compte sur lui.

– Je lui enverrai un texto tout à l'heure.

– Tiens, voilà pour ta photo d'identité.

Elle m'a tendu une petite boîte en plastique.

– Des lentilles de contact marron foncé. Tu seras étonné de constater comme elles transforment un visage.

J'ai ouvert l'étui, que j'ai incliné pour mieux distinguer les lentilles.

– Génial, merci. Je n'en ai jamais porté.

– C'est super facile à mettre. Ne bouge pas, je vais te montrer.

Malgré l'obscurité presque totale, Winter a entrepris sa démonstration. Elle s'est penchée sur moi et d'un geste délicat, elle a posé l'une des lentilles sur ma pupille. La sensation était étrange mais pas désagréable.

– Dommage qu'il fasse si sombre, a soupiré Winter. Je ne peux pas voir ton nouveau regard.

Elle m'a frôlé la joue et j'ai frissonné. D'une voix rauque, j'ai repris :

– Hé ! Tu sais quoi ? Sharkey doit se rendre en Irlande, lui aussi. Pour une grande réunion de famille.

– Ah bon ? Quand ?

– Avant Noël.

– Formidable, alors on partira ensemble ! Ce serait fantastique d'avoir Nelson avec nous. Il nous indiquerait les pièges à éviter ; et la présence d'un adulte crédibiliserait notre voyage. On pourrait le faire passer pour notre professeur.

Elle a plongé la main dans son sac d'où elle a ressorti plusieurs liasses de billets.

– Tiens ! Voici cinq mille dollars. Pour couvrir les frais de ton passeport et compléter ton argent de poche.

– J'aimerais bien que mon argent de poche se compte en milliers de dollars !

23:10

Nous avons quitté le bord de l'eau et traversé l'étendue de sable, puis des pelouses en silence. Une fois sur la route, j'ai demandé à Winter :

– Bon, ben… on s'appelle ?

– Euh... oui. Tu dors toujours dans l'arbre ?

– C'est ma planque du moment. Au fait, comment ça se passe à Lesley Street, depuis la descente de police de l'autre jour ? Tes voisins ne t'ont pas causé d'ennuis ?

– Tout va bien. Apparemment, le locataire du rez-de-chaussée a appelé les flics. Il t'aurait vu traîner au pied de l'immeuble.

– Oui, je me souviens de lui, ai-je dit en repensant au type à lunettes qui voulait savoir dans quel appartement j'habitais.

– Ne t'inquiète pas. Personne ne se doute qu'on se fréquente ni que tu vivais chez moi. Mes voisins ne connaissent que miss Sparks, ma préceptrice.

– Tu me rassures. Je craignais de t'avoir attiré des ennuis. Merci pour l'argent, Winter. Un jour, je te rembourserai, promis.

– Pas de souci, Cal. En attendant, tu pourrais me rendre un service ?

– Bien sûr. Lequel ?

– M'héberger cette nuit.

– Dans la cabane ?

– Oui. Ça t'ennuie ? Je n'ai pas envie de me retrouver toute seule chez moi, ce soir.

– D'accord.

Ces derniers temps, Winter dévoilait une facette beaucoup plus intime de sa personnalité. Décidément, elle n'était pas la fille dure et sans cœur que j'avais imaginée.

Je n'allais pas m'en plaindre.
Loin de là.
– Enfin si tu n'as pas trop d'exigences question confort et cuisine... ai-je précisé.
– Aucun problème. On y va ?

14 novembre
J –48

La cabane perchée

01:42

Un vent frais soufflait par l'ouverture et faisait danser les flammes des petites bougies que nous avions allumées. Assis par terre, sous une couverture, Winter et moi nous serrions l'un contre l'autre.

– Tu veux que je te montre un truc amusant ? a soufflé Winter d'une voix douce.

– Oui, quoi ?

Après quelques secondes d'hésitation, elle a attrapé son sac, fouillé à l'intérieur et sorti une photo.

– Tiens.

J'ai regardé attentivement le cliché. C'était le portrait d'une enfant, le visage encadré de cheveux noirs coupés au carré.

Elle montrait, avec un grand sourire, le dessin très réussi d'un hippocampe.

– Tu étais adorable, Winter. Tu avais l'air vraiment heureuse.

– J'ai retrouvé cette photo chez Sligo, au milieu de vieilles affaires qui m'appartenaient. Je l'avais oubliée. Ma mère ne se séparait jamais de son polaroïd. J'adorais ces instants, juste après la prise de vue, où l'image commence à apparaître peu à peu sur le papier. Pour moi, c'était magique.

– Elle date de quand ?

Je l'ai sentie soudain sur la défensive. Elle a saisi le cliché.

– Elle a été prise le jour de mes dix ans.

– Le jour de… l'accident ?

Un demi-sourire a étiré ses lèvres. Elle semblait à la fois contente que je m'en souvienne, et infiniment triste de repenser à cette date si douloureuse pour elle.

– C'était juste avant qu'on parte à l'aquarium. Ce matin-là, j'étais surexcitée. Je me rappelle avoir littéralement sauté de mon lit. Mais lorsque je suis entrée dans la salle à manger pour le petit déjeuner, mes parents vaquaient à leurs occupations comme s'il s'agissait d'un jour normal. Ils m'ont raconté qu'ils n'avaient pas eu le temps d'organiser quelque chose de particulier, qu'ils se rattraperaient pour mon onzième anniversaire. Je crois te l'avoir déjà dit, j'ai piqué une de ces colères…

Sa voix s'est étranglée.

– Ne te sens pas obligée de continuer si le souvenir fait trop mal.

– Non, Cal. Tu es la première personne en qui j'ai autant confiance. Il faut que ça sorte. Je ne t'ai pas tout confié.

– Je t'écoute.

– J'ai piqué une vraie crise. À mes yeux, avoir dix ans constituait un événement important. J'ai pleuré et tempêté jusqu'à ce que mes parents acceptent de m'emmener à l'aquarium.

– Tu voulais voir les hippocampes ?

– Oui. Il faisait un temps épouvantable... de la pluie, des bourrasques, des rafales de vent. J'ai obligé mes parents à me conduire là-bas. Sur le chemin, mon père a perdu le contrôle de sa voiture. Sans rien comprendre, je me suis retrouvée à l'hôpital. Je me demandais où étaient papa et maman. Je fixais la porte en priant qu'ils apparaissent, mais c'est Sligo qui est venu à leur place. Il s'est agenouillé à côté de mon lit et a prononcé quatre mots : « Tes parents sont morts. » Je n'avais plus de famille.

J'ai resserré mon bras autour de ses épaules. J'aurais voulu effacer ce terrible souvenir de sa mémoire. J'ignorais que Vulkan Sligo était si vite entré en scène après l'accident.

Winter a continué son récit :

– Je n'ai même pas pleuré. Je me sentais engourdie, hébétée. Finalement, Sligo a tout réglé à l'hôpital puis il m'a raccompagnée.

La nuit tombait quand on s'est garés devant chez moi. Tu te rappelles ? Au cap Dauphin, la maison dans laquelle on s'est introduits en février ?

– Bien sûr.

Comment aurais-je pu l'oublier ?

– Sligo m'a amenée jusqu'à la porte d'entrée qu'il a déverrouillée. Toujours aussi abasourdie et désorientée par l'absence de mes parents, je suis montée mécaniquement dans ma chambre pour préparer un sac avec quelques affaires. J'ai poussé le battant.

Les yeux de Winter se sont fermés. Une larme a roulé sur sa joue.

– Dans ma chambre, il y avait des grappes de ballons roses et violets, une banderole « Joyeux anniversaire » et un énorme gâteau sur la table. Mes parents avaient tout installé en cachette pendant que je piaffais d'impatience dans la voiture en attendant que l'on parte pour l'aquarium. Avant que Sligo m'entraîne dehors, avec ma maigre valise, j'ai ramassé le cadeau posé à côté de mon gâteau d'anniversaire : une boîte blanche fermée par un nœud de satin rose. Je l'ai ouverte une fois dans la voiture.

Elle a levé vers moi son médaillon en forme de cœur.

– Elle contenait ce bijou. Mon père et ma mère l'avaient fait graver pour moi. Ils ne m'auront jamais vue le porter.

Le médaillon était orné d'un caractère chinois et de l'inscription « Petit Oiseau ».

Les yeux rivés sur la photo, Winter a ajouté :

– Mes parents m'appelaient toujours Petit Oiseau. Je crois que c'est la dernière fois que j'ai vraiment souri. Je veux dire, avec autant de joie, de tout mon cœur. Si je ne m'étais pas comportée comme une sale gosse, en les obligeant à me conduire...

– Il pleuvait, c'était la tempête, l'ai-je coupée. Tu n'es coupable de rien, Winter, je t'assure. Il faut tourner la page.

– Impossible, Cal. J'en serai incapable tant que je ne connaîtrai pas la vérité. J'ai besoin d'examiner l'épave de la voiture. Sligo a prétendu que les freins avaient lâché. Je veux le vérifier de mes propres yeux. Ce type a imité la signature de mon père sur le testament. Il a pu commettre d'autres méfaits.

J'ai hoché la tête.

– Écoute, a-t-elle poursuivi avec détermination, je sais que tu passes une année complètement démente et dangereuse. Mais quand tout sera fini, tu pourras rentrer chez toi... même si ce n'est pas à Richmond, tu retrouveras ta mère et ta petite sœur. Moi, je n'aurai pas cette chance. Je n'ai plus de chez-moi. Mes deux parents sont morts et Sligo a fait cadeau de leur maison à Murray Durham. Il ne me reste rien, à part la vérité. Elle seule me comblera.

Je l'ai regardée droit dans les yeux.

– Tu peux compter sur moi, Winter. Je suis sincère. Dans un mois et demi, si tout se déroule bien, comme je l'espère, je serai libre de t'apporter mon aide. On examinera ensemble la voiture de tes parents, je t'accompagnerai à la police avec le faux testament. J'appuierai ton témoignage, tu récupéreras l'héritage de ta famille, y compris ta maison. Je te le promets.

J'avais peur de débiter des inepties, pourtant j'ai constaté que mes paroles la réconfortaient. Elle m'écoutait avec attention. Elle a déposé sur ma joue un léger baiser.

– Merci, Cal, je savais que je pouvais te faire confiance, a-t-elle murmuré. Je tombe de fatigue. Si on dormait, maintenant ?

09:10

À peine réveillé, j'ai cherché Winter des yeux. Elle était partie en me laissant un mot.

> Bonjour Tarzan,
>
> Désolée, je dois m'en aller. Je te tél. + tard.
> Achète un journal pour lire les nouvelles.
>
> Bisous
>
> P.-S. : N'oublie pas d'appeler Nelson Sharkey ! Et quoi de neuf du côté d'Erik Blair ? Tu devrais le contacter lui aussi.

11:03

En chemin vers le kiosque à journaux, j'ai téléphoné à Nelson Sharkey afin de l'informer de la situation. Impressionné, il m'a promis d'avertir le faussaire pour mon passeport. Il me faudrait simplement lui fournir une photo.

Même de loin, j'ai reconnu le visage familier qui s'étalait à la une des quotidiens du matin. Planté devant le présentoir, j'ai failli éclater de rire. Un gros titre, « La Panthère sort ses griffes », surmontait le visage furieux d'Oriana de Witt.

Voici ce que disait l'article :

Compte tenu de nouvelles preuves portées à la connaissance de la justice, maître de Witt a été inculpée pour l'enlèvement de Gaby Ormond, la sœur cadette du célèbre Cal Ormond, alias l'ado-psycho. Les poursuites engagées contre elle le mois dernier ayant été rapidement abandonnées, elle est persuadée qu'il en sera de même cette fois.

Après avoir attaqué en justice un ex-employé pour allégations mensongères ainsi que pour coups et blessures, la célèbre criminaliste a rappelé que le jeune Cal Ormond, 16 ans, était toujours le principal suspect dans l'affaire de l'enlèvement de sa sœur.

Maître de Witt a été libérée sous caution en attendant sa prochaine comparution devant le tribunal.

Comme plusieurs passants tournaient autour du kiosque, je me suis rapidement éloigné.

Des idées folles m'ont traversé l'esprit. Si la police découvrait une preuve qu'Oriana de Witt avait enlevé Gaby, la vérité éclaterait au grand jour. Mon honneur serait lavé, les charges contre moi disparaîtraient, les autorités reconnaîtraient mon innocence. Et, avec un peu de chance, ma mère ferait de même.

La cabane perchée

16:24

Il s'était écoulé une éternité depuis ma dernière conversation téléphonique avec Erik Blair, le collègue de mon père.

Il avait toujours été difficile à joindre, tantôt en congé maladie, tantôt en voyage d'affaires à l'étranger.

J'ignorais s'il était fiable, mais je devais tenter le tout pour le tout.

J'ai attrapé mon portable et composé le numéro de son bureau.

– Ah, vous êtes rentré ! ai-je lâché d'instinct quand il a décroché après plusieurs sonneries. Cal Ormond à l'appareil.

– Bonjour, Cal, a-t-il répondu avec prudence.

– Il faut que je vous parle. Le plus vite possible. Le temps m'est compté.

Il n'a rien répliqué.

– Est-ce que vous me faites confiance ? ai-je demandé.

– Je ne crois pas tout ce que je lis.

– C'est déjà un bon début.

– Je viens d'apprendre l'inculpation d'Oriana de Witt dans l'affaire de l'enlèvement de ta sœur. Je ne pense pas que tu y sois mêlé.

– Vous avez raison. J'ai toujours voulu la protéger. Accepteriez-vous qu'on se rencontre en lieu sûr ?

Il a réfléchi un instant avant de proposer :

– Écoute, je dispose d'un bureau non loin de la mer. Je m'en servais à l'époque où je travaillais en free lance. Aujourd'hui, je l'utilise pour ranger mes archives. Je suis le seul à y avoir accès. Veux-tu qu'on se retrouve là-bas ?

J'ai hésité, m'efforçant d'imaginer l'endroit et d'évaluer le danger potentiel.

– Tu ne risques rien, a-t-il ajouté comme s'il lisait dans mes pensées. À quel sujet souhaites-tu m'interroger ?

Il chuchotait, pourtant sa voix était chaleureuse et amicale.

– Beaucoup de mystères planent autour de la mort de mon père et de ses derniers jours en Irlande. Je cherche à rassembler les moindres détails sur son séjour.

– Cal, ton père était l'un de mes meilleurs amis. J'ai toujours admiré son travail, son intégrité, l'amour qu'il portait à sa famille. Je serais heureux de te rencontrer, mais pour parler honnêtement, je ne suis pas certain de t'être d'un grand secours. Alors ne te berce pas de faux espoirs.

– Fixez-moi une heure, donnez-moi une adresse et j'y serai. Sans illusions.

17:06

Assis sur la banquette de la cabane, un paquet de cacahuètes à portée de main, j'ai réfléchi. J'avais largement le temps de préparer mon rendez-vous, malgré tout je me sentais déjà inquiet. J'imaginais mal mon père se lier d'amitié avec un sale type. De là à faire aveuglément confiance à Erik Blair, c'était au-dessus de mes forces.

17 novembre
J –45

Vers le front de mer

14:20

La capuche de mon sweat rabattue sur le front, je me suis rendu à l'adresse indiquée par Erik Blair. J'avais menti en prétendant ne pas me faire d'illusions. Je comptais fermement qu'il me livre des informations capitales sur mon père, et peut-être même sur la Singularité Ormond.

Nous avions fixé notre rendez-vous à 18 heures. Je voulais arriver en avance pour inspecter les lieux avant de me présenter à son bureau. Je n'avais aucune envie de tomber dans un guet-apens et je tenais à étudier toutes les issues pour pouvoir fuir à la moindre alerte.

Soudain, sur le trottoir d'en face, j'ai repéré Griff Kirby. Il me dévisageait.

Qu'est-ce qu'il manigançait cette fois ?

Puis je me suis aperçu qu'il fixait quelque chose derrière moi. Pris d'un doute, j'ai fait volte-face.

Trop tard ! Deux grands types très baraqués, un Polynésien aux longs cheveux noirs brillants et un autre homme dont le visage m'était vaguement familier, se sont jetés sur moi.

– C'est lui ! C'est Cal Ormond ! a beuglé Griff en me montrant du doigt.

– Sale mouchard ! ai-je lâché tout haut.

J'ai tenté de leur échapper, mais les deux costauds m'ont rapidement maîtrisé. Tandis que le premier me cravatait, le deuxième m'a soulevé les jambes pour m'entraîner vers une limousine noire aux allures de corbillard. Je me suis débattu en hurlant.

Erik Blair m'avait-il tendu un piège ? Impossible. Nous ne devions nous retrouver qu'à 18 heures. Il était beaucoup trop tôt pour qu'il soit de mèche avec eux. Ça ne pouvait être que Griff Kirby, il me le paierait !

– Du calme, mon gars. Arrête de t'agiter et on ne te fera pas de mal, a prononcé une voix bourrue à mon oreille.

– On dirait une anguille géante, a renchéri l'autre. Détends-toi, petit.

Ils cherchaient maintenant à me pousser à l'intérieur du véhicule.

– Laissez-moi tranquille ! ai-je crié en raidissant mes muscles.

Les jambes écartées, j'ai agrippé le toit des deux mains. En vain. Un coup bien placé derrière les genoux, combiné à une robuste pression, m'a contraint à lâcher prise. En moins de deux secondes, je me suis retrouvé sur la banquette arrière, avec le Polynésien pratiquement assis sur moi. La voiture a démarré en trombe pendant que je continuais à m'égosiller :

– Qui êtes-vous ? Qu'est-ce que vous voulez ?

– Si tu arrêtais de hurler, on pourrait t'affranchir, a lancé le type installé au volant.

– OK. Je vous écoute.

– Murray Durham a deux mots à te dire.

J'ai cru défaillir. Murray Durham surnommé Coupe-orteils ! Murray Durham, le truand le plus puissant du pays. Sligo, son vieux compagnon du crime, l'avait peut-être payé pour me mettre hors d'état de nuire ? À présent, je reconnaissais le chauffeur... un des gardes du corps de Coupe-orteils ! Celui qui visionnait un film de guerre à la télévision le soir où Winter et moi nous étions introduits dans sa maison du cap Dauphin. Celui, aussi, qui avait interrompu le banquet chez Sligo.

Je me trouvais dans de sales draps. Griff Kirby m'avait dénoncé. Aucun doute, je vivais mes derniers instants. Jamais je ne rencontrerais Erik Blair. Jamais je ne reverrais ma mère ni Gaby. Sans parler de Boris et Winter.

Cette réflexion m'a rendu fou furieux. J'ai voulu sauter sur le siège avant pour attraper le volant dans l'espoir de provoquer un accident et de filer, mais le Polynésien m'a retenu. Je lui ai décoché un regard noir. En réalité, il avait l'air plus soucieux que menaçant.

– Du calme, petit. Personne ne te fera de mal. Le patron a juste envie de causer avec toi.

– Je ne vous crois pas. Je ne le connais même pas. De quoi voudrait-il me parler ?

– J'en sais rien, a-t-il grommelé. Tu verras bien.

La limousine a fini par ralentir et se diriger vers d'imposantes grilles qui se sont ouvertes automatiquement. Sous l'effet de la panique, les idées les plus folles se bousculaient dans ma tête. Durham allait-il m'entretenir de la Singularité Ormond ? Il comptait peut-être me torturer pour m'extorquer des renseignements...

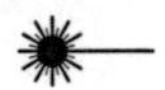

Résidence de Murray Durham

15:07

Une fois entrés dans un garage dont la porte s'est refermée derrière nous, les deux gardes du corps m'ont extrait de la voiture, puis escorté le long d'une immense terrasse. La propriété paraissait aussi vaste que le jardin botanique de

Richmond, avec des pelouses sans fin, des rangées d'arbres à perte de vue, des buissons aux formes incroyables : chameaux, chevaux, tyrannosaure, statue de la Liberté, voiture de course. On appelle « topiaire » cet art de sculpter les arbustes. Drôle de moment pour me souvenir d'un détail aussi insignifiant...

À l'extrémité de la terrasse se dressait le porche en marbre de la demeure. On se serait cru à Buckingham Palace !

Mes ravisseurs m'ont poussé pour me faire franchir le seuil.

Nous avons pénétré dans un véritable hall de gare regorgeant de marbres, dorures, et sièges en velours. Les murs disparaissaient sous les tableaux et les tapisseries. Au milieu de la pièce, une haute fontaine blanche déversait son eau dans un bassin circulaire rempli de carpes Koï de toutes les couleurs.

– Par ici, mon gars.

Le Polynésien me tenait toujours fermement par le bras. Le chauffeur, lui, avait disparu.

Arrivé devant une porte close, mon garde du corps a frappé, très doucement – ce qui m'a surpris.

– Je te préviens, il est mal en point, a-t-il chuchoté.

Une voix faible nous est parvenue de l'intérieur de la pièce :

– Oui ?

– C'est Ari, patron. Avec le gamin.

Sur ce, Ari a ouvert le battant et m'a littéralement poussé dans une pièce plongée dans l'obscurité. Il y faisait encore plus noir qu'à l'intérieur du laboratoire aux champignons du Dr Maggot.

Une fois mes yeux accoutumés à l'obscurité, j'ai deviné la silhouette d'un homme allongé sur un large lit en bois sombre recouvert de satin rouge, le haut du corps calé, de travers, contre des oreillers.

– Approche, petit. Que je puisse te voir.

D'un signe de tête, Ari m'a ordonné d'obéir.

Je me suis avancé jusqu'au pied du lit. Je distinguais peu à peu les traits du malade. Murray Durham m'avait déjà semblé frêle et souffrant au banquet de Vulkan Sligo. À présent, c'était dix fois pire. Tremblant de la tête aux pieds, je me suis efforcé de me tenir droit.

De profonds cernes soulignaient ses yeux. La peau de son visage décharné avait viré au gris, comme celle de mon père et de mon grand-oncle Bartholomé juste avant leur mort. Plongées dans un verre sur la table de chevet, ses fausses dents paraissaient monstrueuses.

– Tu es bien Cal Ormond ? a-t-il demandé d'une voix bourrue que la faiblesse teintait presque de gentillesse.

– Oui.

Il m'a observé en silence pendant un long moment. Gêné, je dansais d'un pied sur l'autre.

Enfin, il a déclaré :

– Je suis en train de mourir, petit.

Que répondre ? J'espérais simplement que sa dernière volonté n'était pas de débarrasser la planète de Cal Ormond.

– Qu'est-ce que tu en dis ?

– Je suis désolé.

– Inutile. Tout le monde doit y passer. Pour ma part, je suis loin d'avoir mené une existence exemplaire. J'ai commis des méfaits innommables. Les gens ont toujours eu peur de moi. Je te fais peur ?

Plutôt mourir que de l'avouer.

– Pourquoi suis-je ici ?

Voyant clair dans mon jeu, Durham a déclaré :

– Tu as du cran, mon garçon. Sache que tu n'as rien à craindre de moi. Compris ?

Il a poursuivi :

– J'ai perpétré un nombre incalculable de crimes. Plus horribles les uns que les autres. Alors j'aimerais soulager ma conscience.

Il a marqué une pause. Je ne saisissais toujours pas pourquoi, planté au pied de son lit, je devais écouter ses confidences.

– J'ai accompli la plupart de ces crimes parce que j'y étais obligé. Cette ville est une jungle impitoyable et, si on veut garder la main, il faut se montrer encore plus féroce que ses semblables. Je ne regrette absolument pas ce que j'ai fait pour maintenir l'ordre dans mes affaires. Même si l'un de mes forfaits m'a toujours pesé.

Une horrible toux a soudain convulsé le corps du vieillard dont les mains aux doigts crochus se sont mises à tâtonner autour de lui puis à agripper le drap. Je me tournais vers la porte, prêt à appeler du secours, quand un jeune infirmier, stéthoscope tressautant sur la poitrine, s'est précipité dans la chambre au chevet du malade qui, le regard affolé, étouffait. Aussitôt il lui a inséré un inhalateur dans la bouche. Après quelques aspirations pénibles, Durham s'est apaisé.

– Il ne faut pas vous fatiguer, monsieur, lui a reproché l'infirmier.

En me foudroyant d'un œil désapprobateur, il a arrangé les oreillers derrière la tête du malade.

Durham a bu une gorgée d'eau.

– Je vais bien. Laissez-nous. Je vous sonnerai si j'ai besoin de vous.

Les sourcils froncés, l'infirmier a quitté la pièce.

Je me suis assis sur la chaise placée à côté du lit. Lorsque Durham a repris la parole, sa voix avait encore faibli. Je me suis penché vers lui.

– Quand on est jeune, on est insouciant. On ne pense pas à l'avenir, on est loin d'imaginer qu'un seul choix douteux peut vous engager sur la mauvaise voie : celle d'un professionnel du crime.

J'ai songé à Dep, contraint de se terrer dans une caverne pour fuir l'homme mourant qui me faisait face. Lui aussi avait gâché sa vie quand il avait mis son talent au service de truands.

– J'ai volé ma première voiture à l'âge de seize ans. J'avais des capacités intellectuelles, les professeurs me l'affirmaient, toutefois je refusais de les écouter. Qu'est-ce qu'ils en savaient ? Avant cet épisode, je n'avais jamais trempé dans un mauvais coup ; mais après, je me suis pris pour le caïd du quartier. À l'époque, je n'avais pas conscience des implications d'une mauvaise réputation. J'ignorais que la mienne me poursuivrait toute ma vie.

Durham a lorgné le verre d'eau sur la table de chevet. Je le lui ai tendu.

– Merci, a-t-il dit en me le rendant vide. Quelques années plus tard, j'ai tenté de m'amender. J'ai repris mes études et obtenu un diplôme dans un collège technique. Sauf que personne n'a voulu m'embaucher. Ma réputation me précédait partout. J'ai cru que ma seule option était de replonger dans le crime. Alors je suis devenu un monstre.

Ses yeux me transperçaient du fond de leurs orbites.

– Moi aussi, j'ai mauvaise réputation, suis-je intervenu, et je n'ai pas commis les horreurs dont on m'accuse.

– Je ne peux pas en dire autant. Tu veux savoir d'où vient mon surnom ?

« Pas vraiment », ai-je pensé. Mais, de toute façon, Durham se moquait de ma réponse.

– Je sectionnais les doigts de pied de mes ennemis avec des pinces coupantes. Je tranchais les orteils de tous ceux qui se mettaient en travers de mon chemin, me devaient de l'argent ou cherchaient des noises à mes hommes.

Visiblement perturbé par sa violence passée, il a secoué la tête.

– C'étaient tous des truands, la plupart aussi cruels que moi. Il y a cependant un crime que je ne parviens pas à oublier.

Il est retombé sur ses oreillers, épuisé.

– Voilà seize ans qu'il me pèse sur la conscience, je ne veux pas l'emporter dans la tombe.

Un bruit à la porte l'a fait sursauter.

– Qu'est-ce que c'est ? s'est-il exclamé.

– Rien. Ne vous inquiétez pas.

Pourquoi était-il aussi nerveux ?

– Du moment que ce n'est pas mon fils... a repris Durham. Il pense que je suis fou de songer à te confier ce secret.

À quoi faisait-il allusion ? Il perdait la tête !

– Il n'est pas question qu'il me surprenne avec toi, a-t-il poursuivi. Il me tuerait. Ce qui ne lui donnerait pas trop de mal !

Il s'est mis à rire avec un bruit étouffé, rouillé, comme si cela ne lui était pas arrivé depuis très longtemps.

– Il te tuerait probablement aussi. Dépêchons-nous avant qu'il revienne.

Un terrible événement s'était donc produit seize ans plus tôt.

J'ai repensé à la coupure de presse sur le kidnapping des bébés jumeaux que mon grand-oncle Bartholomé m'avait arrachée des mains. Je commençais à y voir clair.

– Je crois deviner quel secret vous souhaitez me révéler, Mr Durham.

– Vraiment ?

– Il s'agit d'un enlèvement, n'est-ce pas ?

Ses sourcils se sont lentement soulevés.

– Tu es un petit malin. Ta perspicacité ne m'étonne pas. Voilà presque un an que tu échappes à la police et à la pègre. Eh bien, dis-moi : quel rapport avec toi, à ton avis ?

– À mon avis, vous avez été mêlé à l'enlèvement de bébés jumeaux il y a seize ans.

J'ai attendu en retenant mon souffle. Le silence s'est prolongé. Puis Durham s'est raclé la gorge et agité sur ses oreillers en satin.

– Tout juste. J'y ai participé.

Mon cœur s'est emballé. Je me suis concentré, de peur de perdre une seule de ses paroles.

– À cette époque, j'étais déjà un caïd réputé. Quelqu'un s'est adressé à moi pour une affaire inhabituelle. Il s'agissait, moyennant un énorme paquet de fric, de kidnapper deux bébés et de les abandonner dans une maison de banlieue.

Il m'a regardé droit dans les yeux.

– Je n'aurais jamais dû accepter. Je n'avais pas le cœur à l'ouvrage. C'est un choix de couper les orteils de sales escrocs ou d'assassins, c'en est un autre de s'attaquer à des bébés. Le boulot me déplaisait, seulement, habitué au luxe, j'étais devenu cupide. En plus, j'avais une vieille dette à régler; c'était l'occasion de m'en débarrasser enfin. Je m'étais associé avec un type – il est mort maintenant. On s'est introduits dans la maison, à Kent...

Ébahi, j'ai répété :

– Kent ?

Étrange... Nous habitions Richmond. M'étais-je trompé en supposant que Durham parlait de ma famille ?

– Oui, Kent, a-t-il confirmé. On a enlevé les jumeaux endormis sans le moindre problème puis on les a conduits dans un vieux bâtiment désaffecté. On venait juste de les déposer quand j'ai repéré un véhicule de police dans la rue. Les bébés pleuraient. Paniqué, j'ai ordonné à mon acolyte d'en prendre un tandis que je me chargeais de l'autre. J'ai couru à la voiture. Je pensais que mon complice me suivait, mais non. Je l'ai attendu. Comme il ne se montrait pas et que les flics revenaient, j'ai démarré sur les chapeaux de roues et filé. Au moment où je rentrais chez moi avec ce fichu mioche qui braillait dans mes bras, ma sœur Sandra a débarqué – on habitait ensemble à l'époque. Elle venait d'entendre parler du kidnapping à la radio et elle a compris tout de suite la situation. Pendant ce temps-là, mon associé s'était sauvé en abandonnant le deuxième bébé dans l'édifice délabré.

À l'évocation de ce souvenir, les lèvres du vieillard se sont mises à trembler.

Ému, il a repris :

– Je ne savais pas quoi faire de ce marmot qui n'arrêtait pas de pleurer. Les voisins ne devaient surtout pas l'entendre, ni le découvrir. Sandra l'a calmé, nourri, bercé jusqu'à ce qu'il s'endorme. Plusieurs jours se sont écoulés, puis des semaines et des mois. Ma sœur adorait ce gosse, mais il était hors de question de le garder à la maison. Finalement, elle l'a proposé à une amie qui ne pouvait pas avoir d'enfant. Avec mes relations, il m'a été facile de me procurer des faux papiers d'adoption et d'identité.

– Et l'autre bébé ?

– Les flics n'ont pas mis longtemps à le trouver. Il était sain et sauf malgré la faim et le froid.

Durham s'est tu et m'a dévisagé.

– Sa famille l'a récupéré avant même le lever du jour.

Il continuait à fixer sur moi ses yeux injectés de sang.

– Tu as probablement deviné qui était ce bébé.

Un sentiment d'angoisse m'a serré le ventre alors que tant d'énigmes prenaient sens. J'étais le jumeau retrouvé.

Les yeux de Durham me transperçaient toujours.

– L'amie de ma sœur n'a jamais rien su. Elle a accueilli le bébé et son chien blanc – la peluche qu'il agrippait quand on l'a enlevé –, en croyant qu'il s'agissait d'une adoption légale.

Le chien blanc de mes cauchemars... la peluche que j'avais aperçue dans la chambre de Ryan Spencer...

– L'enlèvement a eu lieu le 11 novembre, a poursuivi Durham. La date dont j'ai inondé ton blog.

– Alors c'était vous ?

– Je voulais que tu t'interroges sur cette date. J'ignore ce que tes parents t'ont révélé sur les événements de cette nuit-là. J'ai fini par envoyer Ari et Chuck à ta recherche afin de te l'apprendre moi-même.

J'en suis resté muet de stupéfaction.

– Toute ma vie, j'ai été rongé par le remords d'avoir enlevé ces jumeaux, de les avoir séparés. Maintenant que je suis mourant, je mesure l'ampleur du malheur infligé à cette famille. Bref, j'avais besoin de t'avouer la vérité... Je me sens déjà mieux à présent. Plus léger.

– Qui vous avait engagé ?

Durham n'a pas répondu.

– Qui ? ai-je insisté.

Soudain, le choc cédait la place à la colère. Ce type m'avait empêché de grandir avec mon frère. Il nous avait arrachés à nos parents. Et Ryan, mon jumeau, ne leur avait jamais été rendu.

– Qui a commandité l'enlèvement ? Je veux savoir !

Au loin, une porte a claqué.

Aussitôt le vieillard s'est agité :

– Ari ? Ari ! Viens tout de suite !

Le Polynésien est apparu sur le seuil.

– Voilà Wayne ! a soufflé Durham. Fais sortir le gamin par-derrière. Oh, j'allais oublier ! Attends, Cal, prends ça.

Murray Durham, le visage crispé par la peur, a ouvert fébrilement le tiroir de sa table de nuit pour en extirper une enveloppe qu'il m'a fourrée dans la main.

– Maintenant disparaissez tous les deux !

Ari m'a attrapé par le bras et, après s'être assuré que la voie était libre, m'a entraîné vers le bout du couloir. Écartant la porte d'un coup de pied, il m'a poussé dehors.

– File ! Vite !

Je n'avais pas besoin qu'on me le dise deux fois, j'ai pris mes jambes à mon cou, l'enveloppe coincée sous le bras.

Un parking dans Richmond

17:20

Quand j'ai estimé m'être assez éloigné de la propriété de Murray Durham, je me suis dissimulé dans un parking, derrière des poubelles, et j'ai décacheté l'enveloppe. Elle contenait l'article que j'avais aperçu brièvement à Kilkenny, chez mon grand-oncle Bartholomé.

**LE CAUCHEMAR
DES BÉBÉS JUMEAUX KIDNAPPÉS**

D'après la police, l'enquête sur l'enlèvement des jumeaux Cal et Sam Ormond, commencée il y a un an, est au point mort.

Cal Ormond, l'aîné des deux bébés, avait été retrouvé sain et sauf quelques heures après le kidnapping dans un immeuble délabré proche de l'ancien hôtel de ville de Kent. On n'a jamais su ce qui lui était arrivé entre le moment de son enlèvement et celui de sa découverte.

Quant à Sam Ormond, le cadet, il est toujours porté disparu. Aucune rançon n'a été réclamée. Le sort de cet enfant inquiète vivement la police. Erin et Tom Ormond, ses parents, ne comprennent pas les mobiles de ce kidnapping. Ils espèrent que le bébé leur sera rendu afin que la famille soit à nouveau réunie.

La tête appuyée contre une poubelle, je fixais, hagard, la coupure de presse qui tremblait entre mes mains. Cette histoire me perturbait à m'en rendre malade, pourtant j'étais soulagé de connaître la vérité.

Enfin j'avais l'explication de l'horrible cauchemar qui hantait mes nuits : la sensation d'abandon, le chien blanc en peluche, la pièce glacée, le bébé en pleurs.

Enfin je savais pourquoi ma mère et Ralf dissimulaient de sombres secrets, pourquoi ils me traitaient comme un traumatisé. Ils me croyaient marqué par le drame, même si j'étais beaucoup trop jeune pour en garder un souvenir précis.

Enfin je saisissais d'où venait ce sentiment de manque que j'éprouvais continuellement. Ryan était bien mon frère jumeau.

Mais pourquoi mes parents m'avaient-ils toujours caché la vérité ?

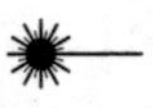

La cabane perchée

19:56

Tête baissée, l'esprit en ébullition suite à la confession de Coupe-orteils, j'ai repris le chemin de ma cabane. Après une halte dans l'abri de jardin des Lovett pour charger ma batterie de portable, j'ai escaladé l'arbre. Une fois là-haut, je me suis écroulé par terre.

J'avais mal au crâne. Soudain, une ritournelle m'est revenue en mémoire : *Deux petits agneaux perdus dans la nuit glacée, le premier fut sauvé, le deuxième jamais retrouvé.*

Sans doute ma grand-tante Emily avait-elle fredonné cet air pour me signaler l'existence de mon frère...

Une brise légère agitait les feuilles de l'autre côté de l'ouverture. Je me suis assis sur la banquette, les genoux serrés entre mes bras. Il fallait que j'appelle ma mère. Que je lui parle de Ryan – ou plutôt de Sam. Elle devait savoir que son deuxième fils était vivant et en bonne santé.

Je m'imaginais en train de lui dire : « Salut, maman. J'ai une nouvelle incroyable. J'ai retrouvé Sam. »

J'ai répété en boucle dans ma tête les paroles que j'allais prononcer. C'était une manière de me rassurer car je craignais la réaction de ma mère.

Finalement, j'ai attrapé mon portable puis composé le numéro de Ralf.

– Ralf Ormond à l'appareil.

– C'est moi.

– Cal ?

Sa voix chevrotait d'émotion.

– Je t'en prie, écoute-moi. Tout d'abord, sache que je n'ai pas tiré de coup de feu dans la chapelle. On m'avait prévenu qu'un tueur à gages serait chargé de t'éliminer. Je suis venu pour te sauver la vie.

– Où-où es-tu ? a-t-il bredouillé. Tu vas bien ?

– Oui. Je dois absolument parler à maman. J'ai une nouvelle très importante à lui confier.

– J'espère que tu ne la bouleverseras pas. Chaque fois qu'elle discute avec toi, elle s'effondre aussitôt après. Tu sais combien elle est fragile, Cal.

Il a soupiré.

– Pourquoi tu ne me dictes pas plutôt ton message ? Je le lui transmettrai. Il est préférable qu'elle l'entende de ma bouche. De ta part bien sûr.

– Écoute, j'ai besoin de lui parler.

– Cal, moi aussi j'ai besoin de te parler, a-t-il murmuré. D'homme à homme. Je veux que...

Il a été interrompu par ma mère.

– C'est Cal ? Passe-le-moi, je t'en prie !

Le temps qu'elle se jette sur le téléphone, Ralf a ajouté :

– Je sais que tu n'as pas confiance en moi, pourtant tu devrais. Si nous pouvions...

Trop tard. Ma mère lui avait arraché le combiné des mains.

– Cal ? Où es-tu ?

– Peu importe. Maman, j'ai une nouvelle à t'annoncer. Je suis au courant de l'enlèvement et de la disparition de mon frère jumeau.

Ma mère a eu un hoquet de stupeur.

– Je l'ai retrouvé, maman. Il est vivant.

Un profond silence a accueilli mes paroles.

– Maman ?

– Sam ? Vivant ? Ne me raconte pas de mensonge, Cal, a-t-elle supplié d'une voix bouleversée.

– Je te jure que je dis la vérité. Je l'ai rencontré. C'est mon portrait, tu n'imagines pas ! Il est heureux. Je voulais que tu le saches.

À l'entendre pleurer, je me suis senti submergé par un flot d'émotions aussi fortes que nouvelles. La gorge serrée, j'ai ajouté :

– Je dois raccrocher. Je tenais juste à te signaler que Sam va bien. Et, au cas où ça t'intéresserait, moi aussi.

21:00

À peine quelques mois plus tôt, dès que j'avais un problème, j'allais trouver ma mère. Pas seulement pour lui demander conseil, mais parce qu'elle avait le don de me remonter le moral. J'avais presque oublié l'effet que cela faisait.

Dans un coin de mon cerveau, une alerte m'a indiqué que j'oubliais un détail important. Toutefois ma tête était pleine à craquer d'informations et je ne parvenais pas à l'isoler.

J'avais rendez-vous… avec quelqu'un…

Erik Blair !

Je me suis relevé si brusquement que ma tête a heurté le plafond de la cabane. Il allait croire que je lui avais posé un lapin !

Aussitôt j'ai composé son numéro. Je suis tombé sur sa boîte vocale.

– Erik, euh, c'est moi. Je... j'étais en chemin quand...

Il a décroché :

– Allô ? Cal ?

– Erik ! Je suis désolé, j'ai eu un problème. Nous devons fixer un autre rendez-vous.

– Je me doute qu'il n'est pas facile pour un fugitif de tenir ses engagements, cependant je crains de renouveler l'expérience. Ce matin, la police a tenu une conférence de presse. L'arrestation d'Oriana de Witt a jeté de l'huile sur le feu. L'inspecteur McGrath a répété à quel point les forces de l'ordre étaient déterminées à te capturer. Il vient d'ailleurs de créer une brigade d'intervention qu'il a baptisée Rapace. À mon avis, il est furieux de se voir ridiculisé par un ado de seize ans. D'ailleurs les dessinateurs de presse le caricaturent sans cesse. Désormais une équipe dédiée épluchera chaque jour les vidéos de toutes les caméras de surveillance de la ville. Ils te traquent. Plus que jamais.

– Alors j'ai besoin de votre aide. Je vous en prie, acceptez de me rencontrer. Notre entretien sera bref, je vous assure. Je ne vous attirerai pas d'ennuis. Accordez-moi une seconde chance !

Erik Blair a été coriace à convaincre. Il a finalement accepté mais, comme il redoutait de se faire arrêter avec moi, il m'a prévenu que cette prochaine tentative serait la dernière.

18 novembre
J –44

La cabane perchée

07:20

Dès que j'ai entendu Boris siffler, je lui ai lancé la corde.

À peine entré, il s'est affalé en face de moi.

– Alors, raconte ! Qu'est-ce qui s'est passé ?

Je lui ai décrit ma visite forcée chez Coupe-orteils et les révélations de ce dernier, puis l'attitude étrange de Ralf et la réaction de ma mère en apprenant que Sam était en vie.

Enfin, je lui ai tendu la coupure de presse jaunie.

Il l'a parcourue et, l'air incrédule, s'est écrié :

– C'était donc vrai ! Ton frère et toi, vous avez été kidnappés par Coupe-orteils ? Ryan Spencer est bien ton jumeau ? Je rêve...

Il me dévisageait d'un air ahuri.

– Moi aussi ! J'ai l'impression d'avoir été brusquement projeté dans un monde parallèle. Tout le monde m'a caché ce souvenir douloureux comme pour m'en protéger !

– Tu habitais Kent, avant Richmond. Tes parents ont sans doute déménagé pour fuir la ville même où s'était déroulée cette tragédie. À propos, qui a commandité l'enlèvement et payé Coupe-orteils pour vous éliminer, ton frère et toi ?

– Je l'ignore, mon vieux. Je ne le découvrirai peut-être jamais. D'ailleurs, Durham n'a pas touché un sou puisque le boulot n'a pas été achevé.

Boris a secoué la tête avant de s'exclamer :

– Wouah, c'est dingue ! Tu as un frère jumeau ! Je n'arrive pas à le croire.

– Et pourtant... D'ailleurs, il va falloir que j'annonce la nouvelle à Ryan. Il a le droit de connaître la vérité.

Soudain j'ai pensé à la brigade de choc spécialement créée dans le but de me faire prisonnier et j'ai ajouté :

– J'espère que tu ne regretteras pas d'avoir choisi mon camp, Boris.

– Comment ça ?

– Si j'échoue à prouver mon innocence, et si les flics découvrent que tu m'aides depuis le début, tu risques d'avoir des ennuis.

– J'assume ce risque, mec, a-t-il rétorqué, l'air grave.

Il a parcouru la pièce du regard avant de plonger la main dans son sac pour y chercher un appareil photo.

Il a lancé :

– Je me demande quel serait le meilleur fond pour prendre ta photo d'identité.

J'ai attrapé l'étui que Winter m'avait remis. Après m'avoir donné du fil à retordre pour la pose, les lentilles de contact sont finalement restées en place. Clignant des yeux, j'ai tourné la tête vers Boris.

– Incroyable comme elles te changent, tu n'imagines pas. Je vais te photographier devant les rideaux.

Quelques minutes plus tard, lorsque je me suis penché sur l'écran de son appareil, j'ai eu l'impression qu'un étranger me fixait. Un adolescent inconnu.

– Je les chargerai sur mon ordinateur, puis j'enverrai la meilleure à Sharkey.

Boris s'est rassis et a suggéré :

– Il y a une personne que tu devrais interroger, Cal : Drake Bones. Pour savoir à qui correspondent ces surnoms.

– Il refusera de me renseigner. Sauf sous la contrainte.

– Justement, on possède toujours les photos compromettantes. Notre stratégie a fonctionné une fois. Pourquoi pas deux ? Tu vois un inconvénient à trahir la promesse faite à un criminel ?

– Pas vraiment. Mais pourquoi nous croirait-il ? Tu t'imagines qu'il nous livrera des informations alors qu'on n'a pas tenu parole et qu'on réitère notre chantage ?

– Il est coincé. Il a trop peur que des clichés préjudiciables soient dévoilés au grand jour. J'ai la conviction que ce notaire véreux mijote un sale coup et qu'il n'a aucune envie de s'expliquer sur son trésor amassé en douce.

Bibliothèque
Liberty Square

10:32

Mon sac rempli de dollars sur le dos, je me suis glissé dehors en évitant soigneusement de me faire repérer par les Lovett, qui, semblait-il, avaient décidé de nettoyer leur jardin. J'espérais qu'ils n'auraient pas l'idée de s'attaquer à la cabane.

À la bibliothèque, je me suis jeté sur un ordinateur pour consulter les archives en ligne de la presse locale de Kent, à l'époque de l'enlèvement.

Un article a attiré mon attention.

LA TRAGÉDIE DES JUMEAUX

Un mois après l'enlèvement de Kent, le 11 novembre, Ralf Ormond, l'oncle des bébés kidnappés, a souhaité réagir.

Mardi matin, au cours d'une conférence de presse, il a déclaré :

« Nous traversons une période particulièrement douloureuse. Aussi je vous demande de respecter la vie privée de Tom et Erin. Un seul bébé a été retrouvé ; ils ignorent le sort du second... Voilà le pire cauchemar que peuvent vivre des parents. Tom et moi sommes jumeaux. L'idée d'être séparé de lui, même à l'âge adulte, est... beaucoup trop pénible à envisager. Mon frère et moi sommes extrêmement proches – pour ne pas dire inséparables – depuis toujours. Sans lui, je ne serais plus moi-même. J'espère que la police mènera à bien ses recherches, et que Cal aura la chance de grandir avec son frère à ses côtés. »

À ces mots, Ralf Ormond, de toute évidence bouleversé, s'est brusquement levé et éloigné des journalistes, mettant ainsi un terme à l'entretien.

J'ai repoussé ma chaise. Ce n'était pas là le Ralf que je connaissais. D'aussi loin que je me souvienne, mon père et lui se comportaient l'un envers l'autre comme des étrangers, ou presque. Ils étaient loin d'être « inséparables » ! Mon oncle jouait-il la comédie face aux médias ? Mais dans quel but ?

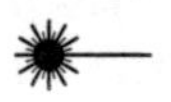

Bureau d'Erik Blair

14:45

J'avais beau porter mes lentilles marron foncé, j'ai évité de croiser le regard des passants dans la rue alors que je me dirigeais vers les docks.

Le bureau privé d'Erik Blair se trouvait dans un immeuble moderne directement accessible. Sans me presser, je suis monté au premier étage. Arrivé devant la porte numéro sept, j'ai pris une profonde inspiration et frappé.

– Entrez.

J'ai respiré à fond une deuxième fois avant d'écarter le battant.

La pièce, exiguë, ne possédait qu'une fenêtre, donnant sur la mer. Un vase rempli de marguerites jaunes ornait la table de travail, presque vide. Main tendue, Erik s'est levé pour m'accueillir.

– Je suis content de vous rencontrer enfin, Mr Blair.

– Moi aussi, Cal.

Malgré son sourire chaleureux et amical, je me suis soudain senti si mal à l'aise que j'ai retiré ma main de la sienne.

– Quelque chose ne va pas ? s'est-il alarmé.

Je reconnaissais l'expression confuse et angoissée de son regard.

Reculant vivement vers la porte, j'ai refermé mes doigts autour de la poignée.

– Qu'est-ce que tu as ?

Comme il avançait, j'ai grondé :

– Ne vous approchez pas.

– Cal ! Qu'est-ce qui te prend ? Tu ne risques rien.

– Ne vous approchez pas, je vous dis.

Des flash-back de cette chaude après-midi du 31 décembre dernier fusaient dans ma tête. J'ai été saisi de vertige. Sans parvenir à contrôler ma voix, je me suis écrié :

– Vous ! Vous êtes le fou qui m'a poursuivi dans la rue l'année dernière ! C'est vous qui m'avez prévenu que je devais survivre pendant 365 jours, qu'ils avaient tué mon père, qu'ils me tueraient aussi !

– Quoi ? Cal...

Il n'avait plus la même allure physiquement, pourtant je percevais encore une lueur de démence dans ses yeux. Son visage offrait un mélange d'anxiété et de perplexité.

– De quoi parles-tu, Cal ? Je t'assure que je te vois pour la première fois de ma vie !

Puis il a murmuré entre ses dents :

– 365 jours ?

J'en ai profité pour ouvrir la porte en vitesse et dégringoler les escaliers.

– Cal ! Tu as bien dit 365 jours ? Je t'en prie, reviens, j'ai besoin de comprendre !

J'étais déjà dans la rue quand je me suis aperçu qu'il me poursuivait. J'ai fait volte-face et, instantanément, sa silhouette s'est confondue avec celle du fou titubant qui m'avait couru après.

– Tu n'as rien à craindre de moi ! m'a-t-il lancé. Tom était mon ami.

Soudain, mes jambes se sont immobilisées. Mon cerveau avait beau m'envoyer des signaux de danger, mon cœur m'ordonnait de m'arrêter et d'écouter ce qu'il tentait de me dire.

Essoufflé, Erik Blair s'est plié en deux. Quand il s'est redressé, il m'a semblé distinguer des larmes dans ses yeux. Il avait l'air totalement inoffensif.

– 365 jours, a-t-il répété d'une voix à peine audible, comme s'il réfléchissait à haute voix. Ces mots me paraissent familiers. Sans que je sache pourquoi.

– Parce que vous les avez prononcés. Vous m'avez affirmé que mon père avait été assassiné, que je le serais à mon tour à moins de me cacher pendant 365 jours. Depuis, vos paroles me hantent. Et ma vie est devenue un véritable enfer !

– Cal, a-t-il soupiré, je crois qu'il faut qu'on discute tous les deux.

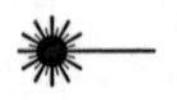

– Assieds-toi.

Les sourcils froncés, il m'a désigné une chaise. Il s'efforçait de visualiser la scène qui m'avait si profondément marqué et dans laquelle il avait joué le rôle principal.

– Vous ne vous rappelez pas avoir titubé dans la rue en hurlant mon nom ? Pour m'avertir de me méfier de la Singularité Ormond ?

– La Singularité Ormond, a-t-il marmonné d'un air sombre.

– L'année dernière, la veille du jour de l'an ? Des infirmiers vous ont rattrapé et emmené en ambulance.

– J'étais malade...

Le regard fixe, il fournissait manifestement un gros effort pour retrouver des souvenirs enfouis dans sa mémoire.

– La Singularité Ormond... Ces mots me disent quelque chose. Oui, la Singularité Ormond... Elle a un rapport avec Tom.

Il hochait la tête à présent.

– Cherchez bien, l'ai-je pressé.

– Tom était sur le point d'en découvrir la signification quand nous séjournions en Irlande.

J'ai senti l'espoir renaître.

– Pourquoi cet épisode est-il si flou dans votre esprit, Mr Blair ?

– Des bribes me reviennent, comme des fragments de reflets renvoyés par un miroir brisé. Mais à travers un brouillard. Lorsque j'étais en Irlande avec ton père, nous sommes tous deux tombés malades. Notre séjour touchait à sa fin. J'ai contracté un virus qui a envahi mon cerveau et je ne me rappelle aucun détail de ce voyage. Je suis resté longtemps à l'hôpital.

– Vous m'avez dit que mon père avait été tué.

– Tué ?

Le visage très pâle, Erik Blair se tenait la tête entre les mains.

– Quel choc ! J'avais hâte de te rencontrer, Cal, toutefois je ne m'attendais pas à de telles révélations. Il va me falloir un peu de temps pour les digérer.

Mon portable a sonné. C'était Nelson Sharkey. J'ai pris la communication après m'être excusé.

– Tout est prêt, m'a-t-il annoncé. Il ne manque plus que l'argent. Rendez-vous à la salle de gym dans une heure ?

– OK ! J'arrive.

Puis, m'adressant à Erik Blair :

– Je dois y aller. Pourriez-vous m'appeler dès qu'un souvenir vous reviendra ?

L'air encore abasourdi, il a acquiescé.

– Bien sûr. Je regrette de t'avoir effrayé et de n'avoir pas grand-chose à t'apprendre pour l'instant.

– Merci quand même. À bientôt.

Fitform

17:01

Sharkey a rapidement compté les billets.

– On est obligés de se fier au faussaire. Même si je répugne à traiter avec ce genre d'individu, sa réputation est solide. Je ne crois pas qu'il nous créera de problèmes.

Sharkey allait remettre mon argent à une crapule mais je n'avais pas le choix. Je devais le payer en espérant que l'entreprise réussirait.

L'ex-inspecteur a dû flairer mes doutes.

– Il n'a aucun intérêt à rouler un client. Plus personne ne s'adresserait à lui. Même un faussaire tient à sa réputation. Je te contacterai dès qu'il aura terminé.

20 novembre
J –42

La plage

11:15

Boris, Winter et moi étions tous les trois installés sur la plage. Du bout du pied, Winter dessinait des lignes sinueuses dans le sable. Nous portions des chapeaux à large bord pour nous protéger du soleil et des regards indiscrets. Allongé sur le dos, Boris observait les gens aller et venir autour de nous.

Près de l'eau, de jeunes enfants construisaient des châteaux, sautaient dans les vagues et ramassaient des coquillages, tandis que dans le ciel, des mouettes plongeaient en piqué sur la surface bleue étincelante de la mer.

– Il faut mettre la pression sur Bones, le forcer à nous révéler qui les surnoms de sa liste désignent. Winter, tu t'entends bien avec Dorothy, sa secrétaire, non ? D'après Cal, vous n'avez pas cessé de papoter quand il était caché dans le bureau.

– Je ne peux pas risquer de me faire surprendre par Bones, a-t-elle répondu en cherchant sa crème solaire dans son sac. Surtout après le banquet de Sligo. Il serait capable de me reconnaître.

– Trop dangereux, ai-je approuvé.

– En revanche, je peux téléphoner à Dorothy. Au cas où elle me glisserait quelques renseignements intéressants. Ça ne coûte rien d'essayer. Autant l'appeler tout de suite d'ailleurs. Je crois que, le samedi, elle travaille jusqu'à midi.

Winter a pris son portable, puis s'est levée pour s'éloigner du rivage. Je la contemplais. Décidément, cette fille avait tout pour elle : intelligence, beauté, esprit d'initiative, audace.

11:56

Boris et moi attendions avec impatience le retour de Winter. Dès que j'ai aperçu son visage, j'ai compris qu'elle était contrariée.

– Dorothy n'était pas là ?

Elle s'est laissée tomber à côté de nous sur la serviette de plage.

– Pff, quelle pipelette ! Si, elle était là. Mais pas Bones. Il paraît que l'étude est très calme depuis qu'il est à Londres.

– Pour longtemps ? ai-je demandé.

– Elle ne sait pas avec précision. Il est parti précipitamment et restera peut-être absent deux semaines. Après Londres, il doit se rendre à Dublin. En *Irlande*.

– Oh non ! Il utilise la technique du nœud gordien.

J'ai bondi sur mes pieds.

– Il se précipite à la source du problème ! Voilà pourquoi il a jeté la liste des surnoms.

Boris et Winter m'ont observé avec des yeux ronds.

– Il a renoncé à l'Énigme et au Joyau pour se concentrer sur la Singularité Ormond.

– Surtout, pas de panique, m'a conseillé Winter. Beaucoup d'indices lui manquent. Il a du retard sur nous. Il ne saura pas par où commencer.

– Sauf que là-bas, il interrogera des gens. Un type comme Bones a une flopée de contacts professionnels susceptibles de lui fournir des renseignements ! N'oublie pas qu'il recueille des informations sur ma famille depuis des années... Il a lu les lettres de Piers Ormond, il connaît les clauses de son testament. Il a conscience que le temps file.

D'un geste rageur, j'ai arraché mon chapeau et je l'ai jeté dans le sable.

– Je n'ai pas passé tous ces mois à m'efforcer de décrypter la Singularité Ormond pour me faire doubler par un escroc de notaire !

24 novembre
J –38

Dans les rues de Richmond

07:51

Très fébrile, je suis retourné au bureau d'Erik Blair.

Il m'avait appelé la veille, assez tard, pour me demander de l'y rejoindre sans faute en début de matinée.

J'avais eu du mal à trouver le sommeil après son coup de téléphone. Je bouillais d'impatience. Pourvu que certains souvenirs lui soient revenus !

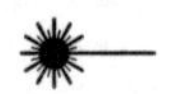

Bureau d'Erik Blair

08:32

Lorsque je suis entré, Erik m'a prévenu avant même que j'aie posé mon sac à dos :

– Cal, je crains de te décevoir. Depuis notre rencontre, j'ai beau me creuser la cervelle, fouiller ma mémoire, je nage en plein brouillard.

Mes épaules se sont affaissées.

– Je me rappelle juste quelques détails. D'abord, Tom m'a confié que vous couriez tous un grand danger. Puis il est tombé malade. Peu après, cela a été mon tour. Cependant, j'ai le sentiment qu'il voulait que je te transmette ce message. Voilà peut-être pourquoi...

– ... pourquoi vous m'avez poursuivi la veille du jour de l'an, ai-je complété.

L'air soucieux, il s'est appuyé au bureau comme s'il vacillait.

– Oui. Sauf que je n'en garde aucun souvenir, Cal.

Il a pris une profonde inspiration avant de préciser :

– Je crois que Tom avait fait une découverte en Irlande. Sans rapport avec le colloque, plutôt avec ta famille. À mon avis, il estimait qu'elle risquait de déclencher un drame. J'ai l'étrange impression qu'une reine était mêlée à ce mystère.

– Oui ! La reine Elizabeth Ière ! ai-je confirmé, plein d'espoir.

– Seulement, j'ai oublié quel rôle cette souveraine jouait...

Mon enthousiasme s'est aussitôt dissipé. Assis sur ma chaise, j'ai fixé les marguerites jaunes qui se fanaient dans leur vase.

Tête baissée, Erik s'est mis à arpenter la pièce, les mains dans le dos.

– Au plus fort de ma maladie, j'étais harcelé par le pressentiment d'une mort imminente – pas la mienne, la tienne. La Singularité Ormond m'évoque vaguement quelque chose, mais j'ai oublié quelle menace précise elle constitue pour toi. Ce virus a détruit de nombreuses cellules de mon cerveau. À partir du jour de l'an, mon état a de nouveau empiré. Je ne pouvais plus parler. J'avais l'esprit complètement embrouillé...

– Comme mon père. Sauf que lui n'a pas guéri. Il avait sans doute contracté une forme plus agressive du virus. En tout cas, la veille du jour de l'an, vous m'avez annoncé qu'on l'avait assassiné et que je serais le prochain.

J'ai fermé les yeux pour me rappeler ses paroles exactes :

– *Ils ont tué ton père. Ils sont en train de me tuer !* Voilà ce que vous m'avez déclaré. Vous vous sentiez visé vous aussi. De qui parliez-vous ?

– Aucune idée, je ne comprends pas. Tous les médecins ont diagnostiqué une infection virale inconnue que ton père et moi aurions contractée en Irlande.

Il a cessé de faire les cent pas, relevé la tête puis lancé avec un regard perçant :

– Et si ce n'était pas un virus, Cal ? Tu y as songé ?

J'ai accusé le coup.

– Vous pensez à un empoisonnement ?

– Peut-être est-ce inconsidéré de ma part. Sans preuve, je serais mieux avisé de me taire. Toutefois, j'ai l'effrayante impression que la maladie de Tom et la mienne sont liées à la Singularité Ormond.

– C'est pourquoi le 31 décembre, dans la rue, vous tentiez de me dire que la Singularité Ormond vous tuait à votre tour ?

– Probablement. Bien que je ne sois pas un membre de ta famille, je gênais sans doute. Peut-être en savais-je trop avant de tout oublier. Peut-être ton père m'avait-il confié certaines de ses découvertes ?

J'ai réfléchi quelques secondes. Un souvenir a surgi, lancinant, et un frisson m'a parcouru de la tête aux pieds.

– Quelqu'un a essayé de nous éliminer, mon oncle Ralf et moi, en janvier. Notre bateau de pêche a été saboté. J'ai failli me noyer. Puis on a tiré sur Ralf avant d'agresser ma petite sœur.

Depuis le début de l'année, des truands veulent ma peau. Et, pour couronner le tout, il y a eu le tueur de la chapelle... Il est clair qu'on en veut à mort à ma famille.

Un étrange petit sourire a étiré les lèvres d'Erik Blair.

– J'ai rencontré ton père à l'université. Je ne le connaissais pas très bien, mais son frère jumeau, Ralf, ne le quittait jamais. J'avais du mal à les distinguer l'un de l'autre. Ce n'est que des années plus tard que nous avons commencé à travailler ensemble, Tom et moi.

Ralf ne quittait jamais son frère? Cela m'était difficile à imaginer.

– Pouvez-vous me décrire la dernière fois où vous avez vu mon père? Même si cela vous paraît insignifiant...

– Tom m'a invité à dîner au manoir Clonmel où il résidait, non loin du centre de Carrick-on-Suir, en bordure de la rivière. Il jubilait d'avoir acquis, chez un antiquaire, un bijou inestimable.

Le Joyau Ormond! Mon père l'avait bien acheté en Irlande.

– C'est mon dernier souvenir précis de mon séjour en Irlande.

Un silence a suivi, interrompu par de lointains hurlements de sirène. Tous mes muscles se sont contractés. Il était temps de partir.

– Qu'est-ce que tu comptes faire, Cal?

Je me suis levé et approché du bureau :

– Aller au bout de ce que j'ai entrepris. Découvrir pourquoi mon père est mort. Remuer ciel et terre afin de connaître la vérité sur la Singularité Ormond. Comprendre ce qu'elle signifie, laver mon honneur, retrouver ma famille.

Erik Blair m'observait avec pitié. L'espace d'un instant, je me suis demandé si mon père lui avait parlé de l'enlèvement.

Il a sorti une fine liasse de billets de son portefeuille.

– Tiens, voilà deux cents dollars. Prends-les, je t'en prie.

J'ai refusé d'un signe de tête.

– Merci, c'est inutile.

Les sirènes se rapprochaient inexorablement. J'ai couru à la fenêtre et poussé un soupir de soulagement en voyant passer deux ambulances dans la rue.

Erik m'a raccompagné jusque dans le hall de l'immeuble.

– Sois très prudent, Cal. J'ai lu que la surveillance des aéroports nationaux et internationaux avait été renforcée.

Fronçant les sourcils, il a ajouté :

– Aux dernières nouvelles, tu chercherais à quitter le pays.

Je me suis figé. Comment la presse savait-elle que je comptais me rendre à l'étranger ?

– Il s'agit probablement de simples rumeurs, a poursuivi Erik. Un rien les déclenche et les journalistes en font leurs choux gras.

J'étais persuadé, au contraire, qu'il se trompait et que quelqu'un m'avait trahi.

Après l'avoir remercié avec chaleur, je me suis hâté de partir.

29 novembre
J –33

La cabane perchée

10:00

Les derniers jours avaient été éprouvants. Les nouvelles mesures prises par les autorités se révélaient efficaces : les rues grouillaient de policiers. Boris m'a conseillé de rester caché jusqu'à l'obtention de mon passeport. La pensée de Bones, parti pour l'Irlande, m'obsédait. Qu'échafaudait-il ? Qu'avait-il déjà découvert ?

Le 31 décembre, à minuit : la date de l'annulation de la Singularité Ormond se rapprochait à grands pas, comme si elle aussi s'était lancée à mes trousses. Il ne me restait que quatre malheureuses semaines…

J'étais, une fois de plus, plongé dans les notes, les dessins et les photos étalés sur le plancher de la cabane lorsque quelqu'un m'a interpellé de l'extérieur.

– Cal ? Tu es là ?

La voix de Winter était étranglée, effrayée. C'est tout juste si je l'ai reconnue.

– Oui, qu'est-ce qu'il y a ?

– Vite ! Lance-moi la corde !

Elle a grimpé en un clin d'œil. Quand elle s'est faufilée par l'ouverture, le turban qui retenait ses cheveux a glissé à moitié. En découvrant son visage, j'ai compris qu'un événement grave s'était produit.

Au bord des larmes, elle m'a annoncé :

– C'est Boris... Les flics se sont présentés chez lui et l'ont emmené.

– Quoi ? Il a été arrêté ?

– En tout cas il a été embarqué au poste. Il a juste eu le temps de me passer un bref coup de fil. Ils l'interrogent depuis des heures. Comme j'étais chez Sligo quand il m'a appelée, je n'ai pas pu venir immédiatement. Je suis inquiète, Cal. J'ai peur que Boris ne leur révèle où tu te caches !

Je l'ai rassurée :

– Jamais Boris ne fera une chose pareille. Jamais il ne me trahira.

– Les flics pourraient l'accuser d'être le complice de tes crimes.

– Impossible !

– Tu imagines le choc pour sa mère et sa grand-mère si elles apprenaient que Boris est envoyé en maison de redressement ?

Je me suis mis à arpenter avec nervosité le plancher de la cabane, et j'ai repensé au récit de Murray Durham : une simple erreur suffit parfois à détruire une vie entière.

– Il faut faire quelque chose, Cal !

Je devais mettre au point un plan infaillible pour protéger mon ami sans me jeter dans la gueule du loup. C'était ma dernière chance de découvrir la vérité sur la Singularité Ormond qui m'attendait en Irlande. Pas question de risquer d'être pris maintenant.

Soudain, j'ai reconnu le bruit que je redoutais le plus ces derniers mois : les vibrations saccadées d'un hélicoptère.

Ma frayeur n'a pas échappé à Winter. Sans un mot, elle a passé la tête par la fenêtre et scruté le ciel à travers les feuilles de l'arbre.

– C'est un appareil de la police. Espérons qu'il disparaisse.

Nous avons patienté quelques minutes. Enfin, il s'est éloigné.

Winter s'est alors tournée vers moi :

– Sligo me surveille de près. Il exige de savoir où je suis, ce que je fais. Impossible de fouiner à l'entrepôt. En ce moment, il me croit dans mon studio.

Elle s'est tue un bref instant avant de reprendre :

– S'il débarque à l'improviste et ne m'y trouve pas, j'aurai droit à un interrogatoire en règle et il ne me lâchera plus d'un pouce. J'ai peur qu'il s'aperçoive de la disparition de son argent.

– Ne t'inquiète pas de ce côté-là, il soupçonnera Oriana de Witt.

– Je sais, seulement je flippe. Bon, j'y vais. Il faut que je retourne chez moi.

– Qu'est-ce qu'on décide pour Boris ?

– Aucune idée ! Je n'ose pas l'appeler pour le moment, j'ai la frousse. Ne lui téléphone pas non plus. Les flics te localiseraient. Je réfléchis et je te tiens au courant. D'accord ?

– D'accord.

J'étais désemparé et furieux. Imaginer Boris aux mains de la police, simplement parce qu'il était mon ami, me révoltait. J'étais convaincu qu'il ne me trahirait jamais, mais les policiers tenteraient sans aucun doute de le manipuler. Certains avaient pour spécialité d'arracher des informations aux suspects, même aux criminels les plus retors.

Pourtant, au fond de moi, je n'étais pas inquiet. Boris était mille fois plus intelligent qu'eux tous réunis, j'en étais convaincu.

Avant de sauter à terre, Winter a promené un regard sombre sur la cabane :

– Cal, quand tout sera terminé, je crois qu'on devrait...

Elle s'est interrompue.

– On devrait quoi ?

– Reparlons-en une autre fois. Il faut absolument que je rentre.

À travers le feuillage, je l'ai suivie des yeux tandis qu'elle escaladait la clôture des Lovett. Qu'avait-elle voulu dire ?

Dès qu'elle a disparu, je me suis senti seul et désemparé. Je ne pouvais rien entreprendre pour sauver mon ami alors que, depuis onze mois, il mettait tout en œuvre pour m'aider.

14:25

Mon portable a émis un bip. J'ai sauté dessus. Un message de Sharkey s'est affiché sur l'écran :

> RDV dans une heure au Fitform.

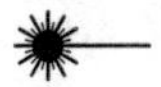

Dans les rues de Richmond

15:16

Content de bénéficier d'une distraction, je me suis dirigé à toute allure vers la salle de gym.

J'étais presque arrivé quand j'ai reçu un nouveau message.

> Sligo parti à 1 réunion. Suis retournée à la Kass... G trouV la preuv q C la voitur 2 mes parents ! ApL D q possib ! W.

Je m'apprêtais à la rappeler lorsqu'une impression de malaise s'est emparée de moi. J'étais devenu un expert pour détecter le danger.

À une centaine de mètres de la salle de gym, un homme m'observait. Il s'est empressé de détourner les yeux comme s'il s'était aperçu que je l'avais repéré. Un autre individu me lançait des regards soupçonneux depuis le trottoir d'en face.

On me surveillait ?

Je me suis hâté de revenir sur mes pas. Il m'a alors semblé voir une femme incliner la tête et murmurer dans le col de son chemisier. Aussitôt, j'ai fait volte-face. Les deux types louches avaient disparu.

Puis, sans crier gare, on m'a plaqué au sol.

La main droite et la joue douloureusement écrasées contre le trottoir, j'ai voulu me dégager. Impossible ! J'étais cloué à terre par un colosse qui pesait une tonne.

Je me suis mis à hurler :

– Lâchez-moi ! Qu'est-ce qui vous prend ?

– Police ! Pas un geste ! Vous êtes en état d'arrestation !

J'ai réussi à redresser la tête. De grosses bottes noires me frôlaient le visage. On m'a tiré les deux mains derrière le dos pour les menotter.

J'ai repensé à l'avertissement d'Erik Blair au sujet des renforts de surveillance dans les aéroports. Quelqu'un avait répandu le bruit que je comptais quitter l'Australie. Je ne voyais pas qui pouvait être cette personne... À part...

Sharkey ! Il m'avait piégé. J'ai respiré à fond pour ne pas vomir.

– Tu es sûr que c'est lui ? a lancé une voix derrière moi tandis qu'on me relevait sans ménagement. Il ne correspond pas vraiment au portrait de l'avis de recherche.

– Pas de doute. Tu sais bien que les photos ne sont jamais très ressemblantes.

Deux policiers en civil me tenaient entre eux. Aucune chance de m'échapper.

– Lâchez-moi ! ai-je répété. Qu'est-ce que vous me voulez ?

– Tu es Cal Ormond. Voilà bientôt un an qu'on te traque, a répondu le premier homme.

Il a continué, pour son collègue :

– Attends un peu que le chef apprenne ce qu'on lui ramène !

– Je ne suis pas Cal Ormond ! ai-je bluffé.

Ils m'entraînaient déjà vers une voiture banalisée. Hors de question de les laisser me conduire au commissariat ! S'ils relevaient mes empreintes, j'étais fichu.

– Vous vous trompez, ai-je insisté.

– Ah oui ? Et tu t'appelles comment alors ? a ricané le deuxième policier.

– Matt Marlowe, a répondu une voix forte et autoritaire que je connaissais bien.

Je me suis retourné. Nelson Sharkey s'avançait vers nous. Il s'est vivement placé à côté de moi comme pour me protéger.

– Vous faites erreur, messieurs, a-t-il déclaré d'un air assuré. Ce garçon n'est pas Cal Ormond. Regardez vous-mêmes.

Il a tiré de sa poche un petit carnet qu'il a brandi devant les yeux ébahis des policiers. Mon nouveau passeport ! Il tombait à point nommé...

– Évitez de vous couvrir de ridicule, a poursuivi Sharkey. Vous n'avez pas le droit d'arrêter n'importe quel adolescent sans procéder au préalable à un contrôle d'identité. Relisez le règlement ! L'inspecteur McGrath n'apprécierait pas un vice de procédure. Il déteste que des amateurs sabotent le boulot.

Mal à l'aise, les deux policiers se tortillaient sur place.

– On peut savoir qui vous êtes ? a demandé l'un d'eux.

– Inspecteur Crowe Russell, de Clarendale. Je vous conseille de relâcher ce gamin avant d'être assignés en justice pour fausse accusation et détention abusive de mineur.

Je suis alors intervenu :

– Merci, monsieur. J'ai essayé de leur expliquer qu'ils se trompaient, seulement ils n'ont rien voulu entendre ! Ils m'ont pris pour Cal Ormond, le fugitif.

Penauds, les deux policiers en civil m'ont libéré de mes menottes.

– Venez, Matt, a lancé Nelson en m'attrapant par le bras.

Quelques mètres plus loin, il a murmuré :

– Mieux vaut nous séparer à présent. Tiens-toi sur tes gardes. Tu es plus que jamais recherché. Les effectifs de la nouvelle brigade d'intervention Rapace ont été doublés. McGrath a promis à l'opinion publique de t'enfermer derrière les barreaux avant la fin de l'année. Déguerpis en vitesse, on se reverra un peu plus tard.

Sur ces paroles, il a traversé la rue en trombe et disparu.

La culpabilité me rongeait. Dire que j'avais imaginé que Sharkey m'avait trahi alors qu'il volait une fois de plus à mon secours.

La pression était à son comble, mais j'avais mon passeport en main. Il me restait juste à réserver nos places d'avion... et à détourner les projecteurs des policiers braqués sur Boris.

Au bout de quelques minutes, j'ai téléphoné à Sharkey pour le remercier.

– Bonjour, inspecteur Russell Crowe ! l'ai-je salué.

Il a ri et avoué n'avoir rien trouvé de mieux sur le moment que d'inverser le nom et le prénom de cet acteur.

Lorsque je lui ai appris que la police interrogeait Boris, il m'a juré d'intervenir s'il en avait l'opportunité, et aussi de nous dénicher des billets d'avion pour l'Irlande.

– Je m'occupe de Boris. Pour l'instant, il faut que je te laisse. Le match commence bientôt et mon canapé me tend les bras !

J'ignorais de quel match il parlait. Décidément, Sharkey était un homme discret sinon secret, il ne dévoilait jamais la moindre information sans se faire prier.

16:40

Mon portable a émis un léger bip. Winter avait cherché à me joindre pendant ma conversation avec Nelson. Sans prendre la peine d'écouter le message qu'elle m'avait laissé, j'ai composé son numéro.

Au même instant, une voiture de police a surgi au bout de la rue. J'ai glissé mon téléphone dans ma poche, remonté mon col et baissé la visière de ma casquette.

Erik Blair et Nelson Sharkey avaient raison. Les effectifs de la brigade d'intervention Rapace s'étaient nettement renforcés.

J'ai senti mon portable vibrer. Quand j'ai vu le nom de Boris s'afficher sur l'écran, j'ai aussitôt décroché tout en m'enfonçant dans la pénombre d'une ruelle.

– Boris ! Comment vas-tu, vieux ? Qu'est-ce qui s'est passé ?

– Ils m'ont cuisiné, les vaches. J'ai traversé quelques heures pénibles. Ils voulaient tout savoir, mais t'inquiète, a priori je n'ai commis aucune erreur. Je me suis étonné moi-même de mentir aussi bien ! Je suis devenu un véritable expert. Parfois, je me souviens mieux de mes affabulations que de la vérité.

– Je comprends de quoi tu parles. Merci, Boris. Je regrette vraiment que tu...

La communication a été coupée. De frustration, j'ai failli jeter l'appareil par terre. Il ne captait plus aucun signal.

17:20

Je marchais d'un bon pas en direction du stade de rugby. Des cars déversaient une multitude de supporters en grappes arborant les couleurs rouge et blanc de l'équipe de Richmond. Ils se rassemblaient devant moi. J'ai regretté de ne rien avoir de rouge et blanc sur moi pour me fondre au milieu d'eux.

La foule grossissait, de même que le nombre des policiers en patrouille. Pour les éviter, je serais obligé d'effectuer un grand détour.

Mon téléphone a vibré de nouveau. C'était encore Winter.

Soudain, j'ai senti des yeux dans mon dos. On m'observait, j'en étais sûr. Au fur et à mesure que j'accélérais le pas, le sentiment d'une menace s'est intensifié.

Quelqu'un me surveillait depuis une voiture qui roulait au pas sur ma droite. N'y tenant plus, je me suis retourné.

Comble de malchance, de tous les policiers de la ville, il fallait que je tombe sur Lacrymo : celui à qui j'avais « emprunté » sa bombe lacrymogène et échappé plusieurs fois...

Mon expression de surprise a confirmé ses soupçons. Il s'est propulsé hors du véhicule. J'ai pris mes jambes à mon cou et foncé à travers la foule sans prêter attention aux protestations furieuses des supporters que je bousculais.

Tout en me frayant tant bien que mal un passage, j'espérais qu'aucun policier ne parviendrait à me repérer dans cette marée humaine.

Dix minutes plus tard, j'ai été emporté par une vague géante de fans exubérants. Je ne maîtrisais plus rien, j'étais entraîné malgré moi vers les portes du stade, puis vers les tribunes. Je n'ai réussi à échapper au groupe qui m'étouffait que pour me retrouver happé par un autre.

Au milieu de ce chaos, les contrôleurs réclamaient à grands cris les billets d'entrée.

Où était passé mon poursuivant ?

Finalement, j'ai plongé sous des gradins, rampé droit devant moi et débouché sur une rampe où sont apparus soudain les joueurs des deux équipes. Ils remontaient la pente au pas de charge, gonflés à bloc, avant de se ruer sur la pelouse. Et ils n'étaient pas seuls : Lacrymo leur collait au train !

Il ne m'avait pas lâché. L'air plus déterminé que jamais, il fonçait dans ma direction.

– Hé ! a-t-il crié.

Je me suis faufilé au milieu des joueurs. Ils étaient si excités et concentrés sur le début du match qu'ils ne m'ont pas remarqué.

Presque sans m'en rendre compte, je me suis retrouvé en train de courir avec eux sur le terrain. Je ne me suis pas soucié d'être exposé aux yeux de tous. Je tenais trop à échapper à la vengeance de ce policier et à tous ses semblables.

J'entendais à peine les clameurs poussées par les dizaines de milliers de supporters que la vue de leurs champions rendait hystériques.

Moi, le fugitif, je venais de m'immiscer dans l'un des matchs de rugby les plus attendus de la saison !

Comment fuir ? Un nouveau rugissement, encore plus puissant et intimidant que les précédents, s'est alors élevé des gradins. J'ai cessé de chercher partout une issue. Devant moi, sur l'écran géant fixé en hauteur à l'extrémité du stade, mon visage s'étalait en gros plan !

On m'avait reconnu ! La foule grondait aussi fort que le tonnerre. J'ai voulu me sauver mais l'un des joueurs m'a plaqué au sol. Le souffle coupé, je me suis dégagé puis relevé.

Cette fois, les supporters en délire se sont mis à scander mon nom :

– Cal ! Cal ! Cal ! Cal !

Plus rapide que jamais, j'ai détalé à la vitesse de l'éclair, talonné par plusieurs joueurs.

Les spectateurs poussaient des hurlements déments ! Tout le monde me montrait du doigt.

Je ne pouvais m'empêcher de regarder ma silhouette à l'écran en train d'enchaîner les crochets dans l'espoir de feinter les joueurs qui tentaient de m'attraper.

Obnubilé par ma course, j'avais presque oublié Lacrymo. Les joueurs avaient beau surgir de tous les côtés, je me sentais léger et rapide. Je n'étais pas là pour amuser la galerie mais pour sauver ma peau !

Par chance, j'avais joué au poste d'ailier dans l'équipe de rugby du lycée. Pendant que je multipliais avec aisance les débordements, la foule a continué à reprendre en chœur mon prénom :

– Cal ! Cal ! Cal ! Cal !

Puis un flot de policiers en uniforme a envahi le terrain et une sirène s'est mêlée au vacarme ambiant.

Des tribunes a alors jailli une déferlante de sifflets et de huées dirigés contre les forces de l'ordre. Ainsi que des jets d'objets divers.

La foule se rangeait de mon côté ! Je n'en revenais pas. Pourtant, j'étais l'ado-psycho, pas un héros.

À présent, les spectateurs hurlaient :

– Allez, Cal ! Allez, Cal !

Galvanisé par leurs encouragements, j'ai volé dans une direction, puis feinté, tournoyé avec habileté et filé dans la direction opposée.

Évitant des pom-pom girls et une mascotte à l'effigie de Pluto, j'ai visé la rampe que j'avais empruntée pour entrer sur le terrain et qui s'enfonçait directement dans les sous-sols du stade. J'ai esquivé le dernier plaquage d'un joueur qui, pour le plus grand bonheur des supporters enthousiastes, est allé s'écraser contre les panneaux d'affichage, et enfin j'ai dévalé la pente, loin des caméras et du public.

En bas, l'ambiance était plus calme. Cependant, d'une minute à l'autre, quelqu'un m'attraperait. Je me suis engagé dans un dédale de couloirs desservant différents vestiaires et salles. J'espérais trouver une sortie. Déjà les vociférations des policiers et le martèlement de leurs bottes me parvenaient aux oreilles.

J'ai pris le risque de m'engouffrer à toute vitesse dans un vestiaire. Le long des murs, des bancs étaient jonchés de maillots, chaussures, serviettes éponge. Au fond s'alignait une rangée de cabines de douches. L'unique fenêtre, protégée par des barreaux, n'offrait aucune possibilité de fuite.

Un énorme costume de koala gisait abandonné contre un mur. Dans les couloirs, les policiers fouillaient les pièces tout en s'interpellant. D'une seconde à l'autre, l'un d'eux pénétrerait dans ce vestiaire.

À l'extérieur retentissaient toujours les clameurs de la foule en délire.

Le cœur battant, le cerveau enfiévré par l'obsession de fuir, je me suis saisi d'un maillot de rugby dans l'intention de l'enfiler. « Mon pauvre vieux, qui espères-tu berner ? » me suis-je reproché en surprenant, paniqué, mon reflet dans un miroir. Je ressemblerais toujours au fugitif Cal Ormond, même avec un maillot de rugby sur le dos. Je l'ai jeté par terre de rage.

Déjà, un immense policier en tenue d'assaut se ruait dans le vestiaire d'en face.

Après toutes les épreuves que j'avais traversées, je me retrouvais pris au piège dans le soussol d'un stade.

Le bruit des lourdes bottes se rapprochait. J'étais fait comme un rat.

Désespéré, j'ai lancé un dernier regard autour de moi. Les yeux aveugles en plastique noir de la mascotte koala, de guingois sur son banc, paraissaient fixer les miens.

Je disposais d'une cachette, là, juste sous mon nez !

J'ai plongé par-dessus le banc, accroché mon sac à dos à une patère parmi d'autres sacs, attrapé le costume, fourré mes jambes à l'intérieur, enfilé mes bras dans les manches grises et enfoncé l'énorme tête sur la mienne.

Le costume était quatre fois trop grand pour moi. Je me suis laissé tomber sur les genoux, tête pendante, de sorte que la mascotte ait l'air vide et inerte.

Avec un peu de chance, ma ruse marcherait... Dans ma position, je ne voyais que d'un œil, à travers une fente.

Dès que j'ai entendu quelqu'un entrer, j'ai retenu ma respiration. Si j'en avais été capable, j'aurais stoppé net les battements de mon cœur, beaucoup plus bruyants à mes oreilles que les hurlements de la foule.

– Encore un vestiaire. Je m'en occupe, a lancé un homme.

J'ai distingué une partie de son uniforme. Il est passé devant moi, puis a disparu.

– N'oublie pas les douches ! a crié une femme.

Il a claqué les portes des cabines les unes après les autres.

– Personne, a-t-il conclu.

J'ai manqué m'effondrer de soulagement quand il est ressorti dans le couloir.

– Hé ! s'est exclamée la femme. Vise un peu ce costume de koala ! J'ai toujours rêvé d'en porter un.

– Se déguiser n'est plus de ton âge ! a ricané l'autre. Tu as contrôlé les autres vestiaires ?

– Je t'assure, a-t-elle insisté. Il faut absolument que je l'essaie.

– Tu plaisantes ? Allez, viens.

Malheureusement, le tissu bleu marine de l'uniforme de la policière me bouchait désormais la vue. Comprenant qu'elle allait s'emparer de la mascotte, je me suis préparé à fuir.

– Non mais qu'est-ce que vous fabriquez ? a aboyé un homme. Vous êtes censés pourchasser un dangereux psychopathe, pas jouer avec des peluches !

Mon cœur a bondi dans ma poitrine.

– Je vérifiais qu'elle était vide, chef !

La policière s'est empressée de quitter la pièce pour rejoindre ses coéquipiers.

Tremblant de la tête aux pieds, je me suis effondré par terre.

Les éclats de voix et le martèlement des bottes s'estompaient.

J'étais sauvé.

Pour le moment.

18:16

Les policiers ont fini par abandonner la partie. Le sous-sol a retrouvé sa tranquillité. Trempé de sueur dans mon costume, j'ai néanmoins patienté quelques minutes avant d'oser bouger.

J'ai d'abord soulevé la tête du koala pour aspirer une bouffée d'air frais.

Les bruits qui me parvenaient de l'extérieur m'ont indiqué que le match avait commencé. Il me restait jusqu'à la mi-temps pour repérer une issue et m'échapper.

Une fois débarrassé de mon déguisement, j'ai décroché mon sac à dos du mur.

J'espérais que l'équipe des visiteurs ne m'en voudrait pas de lui avoir piqué un maillot, une écharpe et une casquette. J'en avais impérativement besoin pour sortir de ce traquenard.

La visière de ma casquette baissée, l'écharpe jetée sur le maillot, j'ai enfoncé les mains dans mes poches et déambulé d'un pas tranquille derrière les agents de sécurité préposés à la garde des vestiaires. Scotchés devant un écran de télévision qui diffusait le match, ils ne m'ont même pas remarqué.

À droite, un groupe de policiers entourait des adolescents de mon âge dont ils contrôlaient l'identité.

À gauche, deux de leurs collègues surveillaient l'entrée.

Un hot-dog à moitié mangé gisait dans une poubelle. Je n'ai pas hésité à le ramasser puis à en croquer une grosse bouchée quand je suis passé devant eux.

Dès que j'ai franchi les portes du stade et constaté que la voie était libre, je me suis empressé de recracher l'atroce morceau de pain froid et de saucisse gluante.

J'étais fier de moi. J'avais réussi.

30 novembre
J –32

La cabane perchée

12:58

Je m'apprêtais à consulter mes messages quand un appel de Boris m'a interrompu.

– Cal, je n'ai pas le temps de t'en dire plus, mais ton oncle veut absolument te parler. Tu peux lui téléphoner ?

– Pourquoi ?

– Aucune idée. Faut que je te laisse, désolé.

– Tu n'as pas regardé le match à la télévision, hier soir ? J'y ai fait sensation, ai-je plaisanté.

La sonnerie du lycée a retenti.

– Je te rappelle, mec, m'a lancé Boris avant de couper brutalement la communication.

« Bizarre », ai-je pensé. Sans doute Boris redoublait-il de prudence depuis son interrogatoire.

Même si je n'avais pas très envie de discuter avec Ralf, je ne risquais pas grand-chose à le contacter. Et puis la lecture de son étrange déclaration, suite au kidnapping, me l'avait rendu encore plus mystérieux.

– Ralf Ormond à l'appareil.

– C'est Cal.

– J'espérais que tu m'appellerais.

– De quoi veux-tu me parler ?

– J'aurais dû le faire depuis longtemps...

Il a paru soudain nerveux. Mon oncle n'avait jamais été du genre bavard. Se confier à moi ne devait pas être facile.

– Tu as empêché le sniper de me tuer, dans la chapelle. Tu m'as sauvé la vie. Les flics ne sont pas de cet avis, même si moi je sais ce que j'ai vu : j'ai vu mon neveu voler à mon secours.

– Tu leur as dit ?

– Bien sûr. Mais ils ne sont pas convaincus. De nombreux invités prétendent que tu tenais l'arme. Je suis le seul témoin à déclarer le contraire.

– Et ma mère ? Et Gaby ?

– Elles n'ont rien distingué. Alors merci, Cal.

– Quand j'ai appris que tu étais menacé, j'ai décidé d'intervenir même si tu n'as pas été de mon côté ces derniers mois.

– Justement, je souhaitais aussi t'expliquer mon comportement. En vieillissant, je crois avoir perdu le sens du contact avec les autres.

Surtout avec les jeunes. Je serais navré que tu te méprennes sur mon compte.

– Je t'écoute.

Il a respiré à fond avant de poursuivre :

– Je me suis senti responsable de toi, Cal, et de ta famille, après que ton père... nous a quittés. Il était de mon devoir de m'occuper de vous. Alors j'ai tout pris en main – les questions matérielles et le reste. Je ne voulais pas que vous souffriez. En particulier ta mère. Les épreuves qu'elle avait subies étaient déjà trop écrasantes.

J'ai décelé dans ses propos une allusion au kidnapping.

– Aujourd'hui je me rends compte à quel point j'étais stupide d'imaginer tout gérer seul. J'aurais dû te proposer de m'aider, tu avais presque seize ans. Nous aurions fait face ensemble.

– Et l'enveloppe... ai-je commencé.

Sans me laisser le temps d'achever ma phrase, il m'a coupé :

– J'ai intercepté cette enveloppe de crainte que ces dessins ne te perturbent. Tom m'avait fait part de sa découverte, en Irlande, et de la menace qu'elle représentait. Plus j'en savais, plus il était évident que tu courais un grand danger.

Quel choc ! Ralf savait donc tout ?

– Tu parles sérieusement ? ai-je demandé. Tu étais au courant depuis le début ? Pourquoi tu ne m'as pas aidé ? Je me bats seul depuis onze mois ! Pour préserver ma vie, ma liberté, ma santé mentale... Pourquoi avoir déclaré à la police que je t'avais tiré dessus ? Pourquoi avoir affirmé que j'avais attaqué Gaby ? Pourquoi ?

– Du calme, Cal. Écoute-moi. Je n'ai pas menti à propos de l'agression de ta sœur. À l'époque, je te croyais coupable d'avoir tiré sur moi.

– Tu « croyais » ? Mais tu as certifié à la police que tu avais entendu ma voix.

– Je n'étais pas certain à cent pour cent que tu sois l'agresseur, sauf que la police avait relevé tes empreintes sur mon revolver.

– On a déjà réglé ce problème, il me semble. J'ai touché cette arme le jour où j'ai récupéré les dessins chez toi. Pourquoi en conservais-tu une, d'ailleurs ?

– Pour protéger notre famille puisqu'il y avait du danger dans l'air.

– Mais tu as fait le contraire ! Tu t'es retourné contre moi, tu m'as obligé à fuir. Pour quelle raison aurais-je voulu te tuer ? Est-ce que tu t'es seulement posé la question ?

– Écoute, Cal, tu connais désormais l'existence de Sam.

– Quel rapport ?

– Le kidnapping a traumatisé la famille à un point inimaginable. Il s'est écoulé plusieurs heures entre le moment de ta disparition et celui de ta découverte. Personne n'a jamais su ce que tes ravisseurs t'avaient fait subir. Nous avons toujours redouté que tu en conserves des séquelles et qu'elles resurgissent un jour.

– Donc, tu t'es dit que j'étais devenu dingue à cause de cet enlèvement, puis tu as laissé l'histoire enfler jusqu'à ce que je devienne l'ennemi public n° 1 !

– Ne comprends-tu pas que tu étais plus en sécurité si tu te cachais ? En restant avec nous, tu représentais une cible facile. Nos adversaires sont implacables. Tu es l'héritier de la Singularité Ormond. Il était plus sûr pour toi de vivre en cavale ou en prison, crois-moi.

Même si ses paroles étaient pénibles à entendre, son raisonnement tenait debout. Mes adversaires n'avaient eu aucune difficulté à localiser mon domicile. Pas plus qu'ils n'en avaient eu à me débusquer chez les autres membres de ma famille : mon grand-oncle Bartholomé à Mount Helicon, ou ma grand-tante Emily au couvent de Manressa.

– Alors, c'est vrai ? m'a demandé Ralf. Sam est vivant ? Je te conjure de ne le confirmer que si tu l'as vu en chair et en os, de tes propres yeux. Est-ce bien le cas ?

– Oui.

Ralf a produit un drôle de son, comme un sanglot étouffé.

– J'ai prié chaque jour qu'il soit sain et sauf.

– Ralf, est-ce que ma mère est au courant de la découverte de mon père ?

– Elle est trop fragile, Cal. J'ai fait de mon mieux pour l'en préserver. La mêler à ce secret me paraît trop risqué, elle s'inquiète pour un rien. Heureusement, dans un mois, le danger sera écarté. Alors tu pourras rentrer à la maison et, ensemble, nous t'innocenterons. Tout redeviendra comme avant, je te le promets.

15:45

Cette conversation avec mon oncle m'a donné le vertige. Lorsque mon portable a repris ses bips insistants, je me suis souvenu que je n'avais pas écouté mes messages. Winter m'avait envoyé quatre textos en quelques heures.

J'ai commencé à lire :

Cal ! T OK ? RapL moi !

Keskispass ? RapL STP ! SupR news !

PK tu rapL pas ? T léC 1 million 2 msg !

STP réponds ! J 2vi1 d1gue ! G beso1 2 toi ! RV à la plaj D q possib !

Je l'ai rappelée immédiatement. Elle n'a pas décroché. Après trois tentatives vaines, j'ai foncé vers le bord de l'océan.

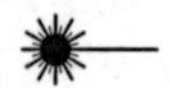

La plage

18:40

Posté sur les rochers, je scrutais l'horizon, guettant la silhouette de Winter. Au bout de deux heures, n'y tenant plus, je lui ai envoyé un texto.

Tattends à la plaj. PK tu vi1 pas ? T faché ?

Soudain, j'ai détecté un mouvement au loin. Quelqu'un me faisait signe du haut de la falaise. Je me suis relevé en plissant les paupières pour mieux voir.

Ce n'était pas Winter. Un adolescent agitait les bras et criait tout en descendant à ma rencontre.

J'ai sauté des rochers sur le sable, prêt à déguerpir. Je n'allais pas courir le risque de traîner davantage dans le coin.

– Cal, arrête ! Il faut que je te parle.

Quand le garçon s'est approché, j'ai reconnu Griff Kirby à ses cheveux roux. Pas question que ce mouchard me coince une fois de plus ! J'ai pris mes jambes à mon cou.

– Non, ne te sauve pas ! a-t-il crié. Tu dois venir avec moi, Winter a des ennuis !

En l'entendant prononcer le nom de mon amie, j'ai stoppé net avant de me retourner.

– Qu'est-ce que tu en sais ?

– J'ai tout vu, a-t-il commencé, essoufflé. Elle m'a crié : « Va chercher Cal ! Du côté de la plage. Dis-lui ce qui s'est passé. »

– Que lui est-il arrivé ? Où est-elle ?

– On l'a enlevée en pleine rue ! Des types l'ont traînée de force dans un véhicule. Elle se débattait, hurlait, donnait des coups de pied. J'ai couru après la voiture, mais il était trop tard.

Mon visage exprimait sans doute le même effroi et le même désespoir que le sien. Mon sang s'est glacé dans mes veines.

– Quelle voiture ?

– Une Subaru noire. Je n'ai pas eu le temps de relever le numéro d'immatriculation. Je n'ai rien pu faire ! Toutes ses affaires sont tombées sur la chaussée.

La Subaru noire. Vulkan Sligo ! Ma tête s'est mise à tourner.

Si Sligo s'était aperçu que Winter l'espionnait et lui avait dérobé son argent... ou s'il l'avait surprise en train de fouiner dans la casse... ou s'il avait découvert qu'elle et moi... Je devais à tout prix me concentrer. Chaque minute, chaque seconde, comptaient.

– Tu as une idée ? a gémi Griff.

– Stop, je réfléchis ! Conduis-moi sur le lieu de l'enlèvement.

Et sans un mot, Griff a aussitôt rebroussé chemin au pas de course. Tout en le suivant, je me suis efforcé de chasser de mon esprit les horreurs que Winter risquait de subir.

Carnegie Street

19:36

À la vue du sac de Winter abandonné dans le caniveau, sali par les pneus qui avaient roulé dessus, un frisson d'horreur m'a parcouru. Ses affaires jonchaient la chaussée. Je me suis penché pour les ramasser, imité par Griff. Une brosse à cheveux écrasée, un tube de brillant à lèvres, un stylo éclaté, son portable.

J'étais tétanisé. Griff me dévisageait d'un air horrifié. Il m'a secoué par les épaules.

– Ne reste pas planté là, Cal, réagis !

Sur le coup, le vide s'est fait dans mon cerveau. Envolés le DMO, l'Irlande ! Je n'avais plus qu'une obsession : sauver Winter.

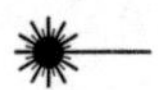

L'entrepôt

21:30

Nous avons couru au cœur de la nuit noire sans échanger une parole. Virant brusquement à droite, talonné par Griff, j'ai foncé vers la casse. J'étais presque sûr que Winter y était enfermée. Cet endroit constituait la couverture idéale pour Sligo et ses hommes de main quand ils désiraient accomplir un sale boulot.

J'espérais que mon amie était saine et sauve, que Sligo souhaitait seulement la voir disparaître de sa vie, et non la faire disparaître tout court.

– Où on est ? a demandé Griff.

– Devant la casse de Vulkan Sligo.

Terrorisé, il a lâché un juron et stoppé net.

– Allez viens ! ai-je ordonné avant de traverser la route et de me coller contre le grillage pour repérer les silhouettes de Zombie 2, Bruno, Sligo ou, bien sûr, Winter.

L'endroit semblait désert.

J'ai balancé mon sac à dos de l'autre côté de la clôture, que j'ai escaladée. Je me suis protégé les mains avec mon sweat au moment de franchir les barbelés. Griff m'a imité en grommelant.

Une fois dans la place, j'ai scruté les alentours, de peur que des caméras de surveillance n'aient révélé notre présence ou que les projecteurs automatiques ne se déclenchent brusquement.

Pliés en deux, nous avons avancé l'un derrière l'autre en longeant les montagnes de carcasses de voitures.

Le miaulement d'un chat m'a soudain fait dresser les cheveux sur la tête. J'avais failli lui marcher dessus. D'un bond, le matou a disparu dans les ténèbres.

– On ne voit même pas où on met les pieds, a ronchonné Griff.

Nous avons repris notre progression jusqu'à la cour dans laquelle se trouvaient les bureaux. Là, j'ai pilé net. Un camion chargé d'un énorme container était garé devant le bâtiment. Pour quelle raison ? Sligo voulait-il se débarrasser de pièces détachées de véhicules ?

Au-delà de cette masse sombre, j'ai distingué une lumière allumée dans la pièce où j'avais rencontré le truand pour la première fois. Winter était-elle assise sur la même chaise, les mains solidement attachées, pour subir un interrogatoire musclé ?

Ce soir de janvier, sans elle, je serais mort noyé dans la cuve à mazout. Elle m'avait sauvé la vie. Et, à cette époque, nous ne nous connaissions pas.

– Suis-moi, ai-je chuchoté à Griff.

– Il y a du monde à l'intérieur du bâtiment ! a-t-il sifflé à mon oreille.

– C'est peut-être Winter.

– On ferait mieux de se tirer.

– Fiche le camp si tu as la trouille.

– J'ai la trouille, mais pas question que je quitte l'entrepôt sans toi.

Nous montions les marches menant aux bureaux lorsqu'un bruit métallique a retenti dans notre dos. Je me suis aussitôt accroupi en entraînant Griff.

– Qu'est-ce que c'était ? a-t-il murmuré.

– Aucune idée. Allons jeter un coup d'œil.

Ce claquement pouvait être celui d'une porte du container. Zombie 2, Bruno ou Sligo en personne ne se trouvaient donc sans doute pas loin.

À cet instant, j'ai entendu une voix qui provenait de l'arrière du camion.

– Bien, patron. Je vais fermer.

Zombie 2 !

– La marchandise est prête, a-t-il ajouté.

Quelle marchandise ? Parlait-il de Winter ? Une image horrible m'a traversé l'esprit. Winter prisonnière du container ! Prête à être expédiée on ne sait où...

– Elle est peut-être dans le container, ai-je articulé en silence à l'intention de Griff.

Mais alors pourquoi ne criait-elle pas ? Pourquoi ne cognait-elle pas contre les parois ? Pourquoi ce silence ?

Mon corps s'est couvert d'une sueur glacée.

– Il faut tenter quelque chose avant que Zombie 2 ait verrouillé les portes ! ai-je soufflé. Suis-moi !

Griff semblait pétrifié de terreur. Pourtant, dans un sursaut de courage, il s'est redressé et élancé au bas des marches. Par malheur, il a trébuché à l'atterrissage, projetant dans sa chute une pierre sur le flanc métallique du container.

Clang !

– Qui va là ? a aboyé Zombie 2.

J'ai sauté à mon tour pour aider Griff à se relever.

– Debout, vite !

Trop tard. Bruno avait déjà surgi de nulle part aux côtés de Zombie 2.

– Toi ! Cette fois, j'aurai ta peau ! a rugi ce dernier.

Il m'a presque cassé le bras en me plaquant par terre. À plat ventre, les reins écrasés par sa lourde botte, le poignet complètement tordu, bloqué par une poigne de fer, je ne pouvais plus bouger.

– Un seul geste et ce sera ton dernier ! Compris ?

– Oui.

J'ai quand même réussi à tourner la tête. De son genou, Bruno maintenait Griff cloué au sol. Il répondait au téléphone :

– Reçu cinq sur cinq, patron.

Il a rangé son portable et extrait de sa poche un rouleau de scotch marron avec lequel il a attaché dans le dos les poignets de Griff. Puis il a lancé le rouleau à Zombie 2 avant de pousser mon compagnon d'infortune à l'intérieur du container. Griff a grogné en s'affalant sur le plancher.

– Qu'avez-vous fait de Winter ? ai-je crié. Où se trouve-t-elle ?

Les deux brutes ont ignoré ma question. Pour toute réponse, Zombie 2 m'a soulevé de terre et tordu les bras derrière le dos. Puis, sans prendre la peine de me ligoter, il m'a envoyé rejoindre Griff d'un violent coup de pied.

Fou de rage, je me suis relevé et précipité vers la porte :

– Dites-moi où est Winter! ai-je hurlé juste avant d'être à nouveau frappé, par Bruno cette fois.

– Ferme-la et on te fera pas de mal. Pour l'instant... Le patron va déboucher une bouteille de champagne français pour fêter ta capture! Des mois qu'on cherche à se débarrasser de toi et voilà que tu viens te jeter dans nos bras. C'est tout juste si t'as pas supplié à genoux qu'on te balance dans le container. Trop fastoche.

– Laissez-nous sortir! s'est égosillé Griff.

– Compte là-dessus, a ricané Bruno. Allez adieu, les gars.

Les portes se sont refermées avec un bruit terrifiant suivi par le sinistre cliquetis du verrou, et le vrombissement d'un moteur de camion qui s'éloignait.

Tandis que Griff, à demi affalé contre la cloison, gémissait, je me suis traîné sur les genoux en quête de Winter.

– Winter? Tu es là?

Je tâtonnais dans le noir sur le sol froid de notre prison. Griff a fini par se joindre à moi.

Tout à coup, il a eu un hoquet de stupeur.

– Cal! a-t-il croassé. Là! Il y a quelqu'un! Je viens de toucher une jambe. Winter est bien ici. Je crois qu'elle est morte!

Parvenu à sa hauteur, j'ai senti sous ma main une chevelure indisciplinée, puis un visage.

– Winter ? Winter ? Tu m'entends ?

Je l'ai redressée en position assise. Son corps était glacé.

– Winter ? Je t'en supplie, parle-moi !

Je lui ai saisi les mains. Glacées, elles aussi.

J'ai posé l'oreille contre sa poitrine dans l'espoir de percevoir les battements de son cœur, puis j'ai cherché une pulsation sur son cou.

En vain.

Hormis les plaintes de Griff et les coups sourds de mon cœur affolé, je ne percevais rien.

J'arrivais trop tard.

Winter m'avait toujours secouru à temps, et pour une fois qu'elle réclamait mon aide, je lui faisais faux bond.

Je l'ai soulevée par les épaules et secouée avec douceur.

Soudain, mon portable a vibré. Je n'avais toujours pas écouté mes messages. J'ai calé mon amie contre moi pour extirper l'appareil de ma poche. Il m'a échappé. Lorsqu'il a heurté le sol, la fonction haut-parleur s'est déclenchée.

Un bip a retenti avant que la voix de Winter ne résonne d'une façon lugubre sur les parois de cette cage de métal.

– *Cal, je suis dans la casse. Incroyable ! Je viens de retrouver la voiture de mes parents. J'ai réussi à me glisser à l'intérieur. C'est la nôtre, aucun doute : j'ai reconnu le petit oiseau que j'ai dessiné sur le cuir quand j'avais neuf ans ! J'étais sûre qu'elle se trouvait là ! Rappelle-moi !*

Bip.

– *Cal, rappelle-moi vite s'il te plaît. J'ai examiné les freins... J'avais raison. Ils ont été sabotés... C'est l'œuvre de Sligo. Il a assassiné mes parents.*

Bip.

– *Cal ! Où es-tu ? Je deviens dingue. Je suis à deux doigts d'affronter Sligo, pourtant je ne devrais pas. Pas encore. Pas sans toi. Oh, où es-tu, Cal ? J'ai vraiment besoin de toi. Je ne sais plus quoi faire. Il faut que tu me conseilles. Appelle-moi, je t'en supplie.*

Bip.

– *Je n'arrête pas de pleurer sans comprendre pourquoi. Au fond de moi, je me doutais depuis toujours que Sligo les avait tués. Ma décision est prise. Je vais lui réclamer des comptes. J'ai mis six ans à découvrir la vérité. Je n'attendrai pas une seconde de plus.*

Winter échappera-t-elle aux griffes de Sligo ?

Cal réussira-t-il à se rendre en Irlande ?

Qui percera l'Énigme Ormond ?

Vous le saurez dans

Retrouve Cal
et toute l'actualité de la série

sur le site

www.livre-attitude.fr

L'auteur

Née à Sydney, Gabrielle Lord est l'auteur de thrillers la plus connue d'Australie. Titulaire d'une maîtrise de littérature anglaise, elle a animé des ateliers d'écriture. Sa quinzaine de romans pour adultes connaît un large succès international.
Dans chaque intrigue policière, elle attache une importance primordiale à la crédibilité et tient à faire de ses livres un fidèle reflet de la réalité.
Elle a suivi des études d'anatomie à l'université de Sydney, assiste régulièrement aux conférences de médecins légistes, se renseigne auprès de sociétés de détectives privés, interroge le personnel de la morgue, la brigade canine ou les pompiers, et effectue aussi des recherches sur les méthodes de navigation et la topographie.
Au fil du temps, elle a tissé des liens avec un solide réseau d'experts.
Depuis plusieurs années, Gabrielle Lord désirait écrire des romans d'action et de suspense pour la jeunesse. C'est ainsi qu'est née la série *Conspiration 365*, qui met en scène le personnage de Cal Ormond, adolescent aux prises avec son destin.